Арабские ночи

Похождения Синдбада-Морехода

Шахразада

ИЗДАТЕЛЬСТВО
КЛУБ СЕМЕЙНОГО ДОСУГА
Харьков Белгород
2009

ББК 84.4УКР
Ш32

The illustrations to the jacket were taken by arrangement with Nova Littera Ltd and Fort Ross, Inc.

Художник *Андрей Печенежский*

ISBN 978-966-14-0096-1 (серия)
ISBN 978-966-14-0097-8 (Украина, т. 1) (доп. тир.)
ISBN 978-5-9910-0556-2 (серия)
ISBN 978-5-9910-0557-9 (Россия, т. 1) (доп. тир.)

Пролог

Жил во времена халифа Гаруна-аль-Рашида, повелителя правоверных, в городе Багдаде человек, которого звали Синдбад-носильщик. Был он беден, зарабатывал на хлеб тем, что переносил тяжести с базара к домам жителей великого города. Как-то раз нес он тяжелую ношу (а в этот день стояла сильная жара), и поклажа показалась ему вдруг несказанно огромной. Зной валил с ног, и Синдбад-носильщик почувствовал, что силы покидают его. «Даже самому могучему нужен минутный отдых», — решил Синдбад и присел на широкую скамью, стоящую у ворот богатого дома. Носильщик положил ношу рядом, чтобы отдохнуть в тени деревьев, склоняющих ветви из-за забора, и подышать воздухом, напоенным нежными ароматами сада. Повеял свежий ветерок и остудил распаленное лицо Синдбада. Мысли пришли в порядок, силы стали возвращаться, и в это мгновение услышал носильщик звуки струн лютни, которые долетали из глубины двора. Благословенные ароматы сада смешивались с пением птиц, которые перекликались и прославляли Аллаха великого на всевозможных языках. Различил Синдбад-носильщик голоса горлинки, персидского соловья, дроздов и певчих куропаток. Любопытство овладело бедняком, и, подойдя к воротам, он заглянул внутрь. Забор скрывал от прохожих тенистый сад, а в глубине сада — дом с распахнутыми дверями, откуда слышались голоса, звучала музыка, а временами в шуме говора ухо могло уловить стихотворную строку, такую возвышенную и прекрасную, что замирало сердце.

Увидел Синдбад и слуг, рабов, прислужников, и челядь. В суете их не было беспорядка, они вносили в распахнутые двери чудесные кушанья, ароматы которых доносились до носа носильщика. Неторопливые виночерпии несли кумганы такой неслыханной красоты, что найти их можно, наверное, лишь у царей и султанов. Драгоценные чаши были полны вин и прекрасных напитков, а огромные блюда наполняли фрукты и яства всех стран.

Удивился носильщик подобной роскоши, поднял глаза к небу и возблагодарил Аллаха всемогущего и милосердного за то, что дарит он избранным своим счастье, достаток и спокойствие. Носильщик не роптал, ибо верил, что придет день, и ему выпадет счастливая доля. А потому произнес нараспев:

Усилилось ныне мое утомленье,
Дела мои дивны, тяжка моя ноша.
Другой же — счастливец, не знает несчастья,
И в жизни не нес он и дня моей ноши.
Все люди возникли из капли одной,
Другому я равен, и тот мне подобен,
Но все же меж нами различие есть, —
Мы столь же различны, как вина и уксус.
Но я говорю, не ропща на тебя:
«Ты мудрый судья и судил справедливо».[1]

Голос Синдбада окреп и возвысился, и не заметил он, как в доме наступила тишина. Казалось, что птицы умолкли, внимая прекрасным словам, льющимся из самой души. Утих ветерок, на деревьях не шевелилась листва, даже время замедлило свой бег. Высоко в небе показалась огромная тень — неведомая птица своими крылами затмила на миг солнечный свет...

Произнеся стихи, Синдбад-носильщик собирался уже поднять свою ношу и двигаться дальше, но вдруг из ворот к нему вышел слуга — юноша, еще почти мальчик, в роскошных одеждах, высокий и прекрасноликий. Он схватил носильщика за руку и сказал ему: «Мой господин, да продлит Аллах его дни без счета, приглашает тебя в дом».

Носильщик хотел отказаться от приглашения, но не смог этого сделать — так велико было его любопытство, настолько хотелось ему узнать, за что же так щедро был вознагражден хозяин этого необыкновенного дома... Синдбад оставил поклажу у привратника при входе и вошел со слугой. Теперь он разглядел, что дом прекрасен, лежит на нем печать достоинства и уюта, а хозяин, видно по всему, всегда рад гостям. Носильщик сделал еще несколько шагов в глубь дома.

Перед ним открылся роскошный зал для приемов, полный благородных и нарядно одетых господ. Гости располагались на подушках, что лежали по пушистым коврам, вытканным самыми искусными мастерицами. На низких столиках стояли кумганы с винами отборных виноградных лоз, блюда ломились от изысканных кушаний и сластей, а высокие вазы у стен благоухали цветами. Изумительный порядок, роскошь и уют зала изумляли и слепили любого, а тем более такого неискушенного зрителя, как Синдбад. Заметил он и драгоценные музыкальные инструменты в руках прекрасных рабынь, которые сидели вдоль стен. Несколько минут стоял Сндбад молча, разглядывая роскошные покои, куда привел его слуга.

Посреди зала сидел человек, достойный и по виду знатный. Его бороды чуть коснулась седина, но благородное и мудрое лицо его оставалось прекрасным. Оторопел Синдбад-носильщик — так величествен был хозяин этого необыкновенного дома. (По гостеприимному выражению лица и неспешным движениям, полным уважения, понял Синдбад, что это и есть владелец райских хором.)

Синдбад-носильщик воскликнул про себя: «Клянусь светом, это место наверняка перенеслось сюда желанием Аллаха прямо из райских садов! А может быть, это тайный дворец султана? Или царя какой-нибудь да-

A08

лекой и богатой страны — ведь надо же и царям других стран жить где-то, если они собираются в гости к нашему султану!»

Эти мысли помогли носильщику вновь стать самим собой. Он понял, что все это время простоял молча, не говоря ни слова, лишь восторженно пялясь по сторонам. Но ведь даже самый несмышленый малыш в стране Синдбада-носильщика знает, что надо вести себя вежливо и в первую очередь пожелать всем присутствующим мира и согласия, призвать к хозяевам милость Аллаха, дарующую благополучие и долгие лета благоденствия. Так Синдбад и поступил. Он поцеловал землю у ног хозяина, пожелал гостям мира и попросил Аллаха благословить эту достойную обитель. Затем он замолчал, низко опустив голову.

И хозяин встал ему навстречу и указал на место рядом со своим.

— Добро пожаловать, незнакомец! — голос хозяина был глубок и благозвучен. — Присоединяйся к нам, отведай яств и послушай прекрасную музыку струн, ибо прекраснейшая из моих рабынь будет услаждать наш слух игрой на старинном уде.

Девушка прямо за спиной хозяина взяла в руки инструмент, уложила его на колени и коснулась шелковых струн. На пальцах ее блеснули ноготки-плектры из панциря черепахи. Чарующие звуки наполнили воздух.

Рядом с Синдбадом появился слуга-нубиец с блюдом изысканных яств. Они источа-

A08

ли манящие ароматы, и Синдбад еще раз удивился невиданному гостеприимству хозяина. Кушанья были столь горячи, что гость подумал, будто они только что сняты с огня.

Носильщик, произнеся имя Аллаха, стал есть и ел, пока не насытился, а потом воскликнул:

— Слава Аллаху всемилостивейшему и милосердному! Да продлит он дни и годы каждого из сидящих здесь! Да будет благословенно твое имя и твоя жизнь, о радушный хозяин!

Синдбад вымыл руки и, довольный, откинулся на шелковые подушки. В тот же миг смолкла нежная музыка, а хозяин дома заговорил:

— Добро пожаловать в мой дом, благословен день прихода твоего. Как твое имя и каким ты занимаешься ремеслом?

— О господин! — отвечал Синдбад. — Мое имя — Синдбад-носильщик, я ношу на голове чужие вещи, а люди мне платят за это.

Улыбка хозяина стала еще шире. Он обнял носильщика за плечи и сказал:

— Знай же, что нас с тобой нарекли одним именем, я — Синдбад-Мореход. Но я хочу, о носильщик, чтобы ты еще раз произнес те прекрасные стихи, которые декламировал, стоя у ворот.

Смутился Синдбад-носильщик (когда говорил он те строки, не знал, что его кто-то слышит, надеялся лишь, что благосклонный Аллах не оставит его):

— Ради Аллаха, хозяин, не взыщи! Усталость, труд и малый достаток повергают человека в невежество и учат косноязычию. Робею я читать стихи, рожденные в моей душе, а не в благородном разуме великих сказителей...

— Не смущайся, — ответил хозяин, — войдя под мой кров, ты стал моим братом. Прочитай же мне стихи! Они были столь прекрасны, а голос твой от ворот доносился так легко и мощно...

И носильщик начал читать. Голос его возвысился и долетел до ушей каждого из гостей, а в словах Синдбада-носильщика было столько благоговения, что хозяин дома не смог сдержать восторга.

Когда смолк гость, поднялся хозяин, низко поклонился и произнес торжественно:

— Знай же, носильщик: я — Синдбад-Мореход. История моя удивительна. Я расскажу тебе обо всем, что со мной случилось, как я пришел к такому счастью и сел в том месте, где ты меня видишь. Я достиг и благоденствия и мира в доме моем после многих лет странствий, долгих дорог ужаса и лишений... Сколь были велики тяготы странствий, испытанные мною, ты поймешь и сам, когда выслушаешь историю о семи моих путешествиях в разные страны света. Да, я совершил семь путешествий, каждое из которых было настоящим странствием в неизвестность, каждое было тяжелее и страшней предыдущего, но все они приносили также и радость. Рассказы мои приводят умы слушателей в смятение, но я не произнесу ни слова лжи, не скажу ничего, что не было бы истиной, чистой, как вода горного ручья, и сладкой, как желанный глоток в палящий полдень. Каждое из моих путешествий было предопределено судьбой. И нет ничего более безжалостного и более величественного, чем желание Аллаха возвысить нас, преподав нам урок, пусть и жестокий, но, как я понял по прошествии времени, мудрый и памятный. От того, что записано в Книге судеб, некуда скрыться и нигде не найти убежища.

Макама[2] первая

Гости обратились в слух, а Синдбад-носильщик с благоговением обернулся к хозяину дома.

Тем временем наступил вечер. Воздух стал свеж и прозрачен, тени удлинились, а аромат цветов был едва уловим. Синдбад-гость пригубил напиток из чаши, которую незаметно наполнила молоденькая рабыня, неизвестно откуда появившаяся и неведомо куда исчезнувшая.

Синдбаду почудилось, что все вокруг как-то странно изменилось... Где-то очень далеко слышались голоса, но разобрать слова не получалось. Временами, казалось, налетал ветерок, который нес запахи мускуса и амбры, воздух наполнили капельки воды, вдалеке зазвучали крики караванщиков. Синдбад не мог понять, что происходит. Вдруг его ухо различило чуть слышный девичий смех, но прекрасные рабыни у стен даже не улыбнулись, их пальчики больше не перебирали струны изысканных инструментов. Серебряный перезвон браслетов возник ниоткуда и исчез в никуда.

Синдбад-носильщик оглянулся, пытаясь понять, что происходит с ним, но не увидел покоев, где только что пировал... Комната, убранная богато и совершенно круглая, опоясанная диваном... Мраморные изваяния гурий поддерживают потолок. Диван, стены и пол убраны мехами — драгоценными, мягкими и нежными, как самый пушистый ковер. Шкуры брошены друг на друга, и кажется, будто под ногами густая трава или мягкая постель.

Синдбад почувствовал странное превращение. Вся усталость этого, да и многих других дней улетучивалась, как в самую первую минуту отдыха. Его тело приобрело бесплотную легкость, мысли невыразимо просветлели, а чувства необыкновенно обострились. Стены круглой комнаты истаяли, горизонт расширился — голубой, прозрачный, необозримый, каким он бывает лишь посреди океана, доселе носильщиком невиданного. Синдбада объял блеск солнца и благоухание свежего ветра. Мелодия, что уже утихла, вновь зазвучала и стала громче. Прекрасные изваяния двинулись к нему — лица гурий были нежны, а движения плавны, словно мелкая волна, что накатывает на берег в тихий утренний час.

Они приблизились и обступили его с четырех сторон. Они безмолвно взирали на Синдбада-носильщика, а взгляды их просили: выбери кого-то из нас, позволь доставить тебе минуты несказанного наслаждения. Синдбад поднял руку и указал на одну из гурий, чьи формы показались ему самыми сладострастными, а глаза более глаз иных прелестниц были исполнены любовью и негой, что обещана пророком каждому правоверному в тот час, когда он входит в чертоги небесные.

Дева приблизилась к ложу и протянула мраморную руку... ее пальцы, холодные, но нежные, коснулись горящей кожи, легко, словно крылья бабочки, прошлись по обнаженным плечам. Руки сладко обняли стан, и жаждущие холодные губы прижались к обнаженному торсу. Страсть и боль, наслаждение и ужас охватили душу Синдбада-носильщика, когда он почувствовал, как эти бесстыдные губы ласкают его чресла. Не способный противиться, Синдбад лишь стонал от прикосновений, что одновременно и мучили, и приносили неслыханное блаженство. Когда же, не сдерживаемый более, из горла носильщика вырвался хриплый крик, вдруг оказалось, что и комната, и прекрасная нагая мраморная любовница исчезли.

Вокруг по-прежнему были гости Синдбада-Морехода и комната была все той же. Снова тихонько пели струны под умелыми пальцами прекрасной музыкантши, а сам хозяин восседал на помосте посреди покоев, опершись о подушки.

Голос хозяина перекрыл остальные звуки, и пред Синдбадом-гостем стали проплывать удивительные картины из повествования Морехода, который неспешно начал...

...Рассказ о первом путешествии

Знайте же, о благородные гости и ты, Синдбад-носильщик, что мой отец был купцом. И был он именит и знатен, владел большими деньгами и умер, когда я был маленьким мальчиком, оставив мне все, что нажил за свою полную трудов жизнь: и деньги, и земли, и деревни.

Я вырос и вступил во владение всем унаследованным, ел прекрасную пищу и пил изумительные напитки. Я наряжался, выбирая самые прекрасные ткани и самые богатые одежды, часами гулял с друзьями, покупал прекрасных рабынь и пользовался благосклонностью матушек, желавших сосватать своих дочерей за молодого и богатого юношу, каким был тогда. Дни мои протекали весело и беспечно, и думал я, что все это продлится до той минуты, когда придет ко мне Разрушительница всех желаний.

Но настал день, когда мне пришлось очнуться от беспечности и лени, прогнать из своего дома таких же бездельников, каким был и я сам, ибо разум мой открылся и я увидел, что деньги мои ушли (а с ними исчезли и товарищи, и свахи, и купцы, до сего дня наводнявшие мой двор). Придя в себя, я испугался и растерялся — и вспомнились мне слова, которые я много раз слышал от своего отца. Поучая меня, когда я был еще совсем мал, он частенько повторял слова великого мудреца Сулеймана, сына Дауда (мир с ними обоими!), который говорил: «Есть три вещи, что лучше трех других: день смерти лучше дня рождения, живой пес лучше мертвого льва и могила лучше бедности». Стало ясно, что положение мое изменилось и пора брать свою судьбу в собственные руки.

Я решился и продал все, что еще оставалось: и земли, и дома, и вещи, и драгоценности. А продав все это, я стал совершенно свободен. Карман мой, напротив, был туго набит, ибо от всех продаж я собрал три тысячи дирхемов.

Теперь, когда я был свободен и даже богат, пришло мне в голову, что разумно было бы отправиться в чужие страны. Ведь сказал поэт древности:

> В труде достигнуть высот лишь возможно;
> Кто ищет, тот не знает сна ночами.
> Ныряет в море жаждущий жемчужин,
> Богатство, власть за то он получает.
> Но ищет кто высот без утомленья,
> Тот губит жизнь в бессмысленных стремленьях.

Слова эти придали мне решимости, я посоветовался с друзьями отца (которых не призвал еще к себе Аллах всемилостивый) и накупил товаров для продажи да в придачу и кое-чего из припасов для долгого странствия. Душа моя возрадовалась тому, что отказался я от праздности, и подсказала, что лучшим будет путешествие по морю.

Вместе с другими торговцами, и более опытными в делах торговых, и такими же новичками, как я сам, оказался я в Басре, откуда и начинается для всякого купца или человека торгового настоящий, полный забот, невзгод и прибылей морской путь. А там сел я на корабль из тех, что нас, купцов, возят по всему миру.

Дни и ночи видели мы только буруны и гладкое море, слышали только шум волн и крики чаек, любовались только закатами и рассветами... Проплывали мы и мимо островов, переходя из моря в море, видели перешейки, что соединяли сушу полночную с сушей полуденной. И везде, где бы ни появлялись, мы продавали, покупали и выменивали товары.

Странствие длилось уже не один день. Повидали мы и моря теплые, и моря холодные. Видели земли обильные и скудные, населенные и безлюдные. Как-то раз после долгого перехода, когда запасы подходили к концу, достигли мы одного острова. Он был подобен прекраснейшему из райских садов.

Хозяин корабля пристал к острову, бросил якорь и спустил сходни. Все, кто был на корабле, сошли на берег. Как сладки первые шаги по земле после долгих дней странствия по волнам! Сначала нас немного пошатывало, потом силы стали возвращаться, а вместе с ними вернулся к нам и аппетит. А что может быть лучше для сильного молодого мужчины, чем хороший кусок мяса, зажаренный над огнем! Вот так и получилось, что мы разожгли костры, и пока дрова прогорали, умылись в водах быстрого ручейка, что тек рядом с нашим временным лагерем. Вода в нем была чистой и до того холодной, что обжигала разгоряченную кожу, и казалось, будто окунаешься в жидкий огонь. Солнце грело; до начала пира, как мы надеялись, оставалось уже немного времени. Вот тогда мы с товарищами и решили прогуляться по островку в надежде, что Аллах дарует нам сладкие плоды к ужину.

Мы отошли довольно далеко — мачты корабля почти скрылись из виду. Стих и шум временной стоянки, не доносился до нас и запах костра. Мы гуляли по островку и дивились тому, что не растут на нем ни пальмы, ни деревья высокие, ни благословенные фруктовые сады. Лишь травы поднимались здесь и там да на полянках росли ягоды, которые, как я узнал много позже, жители далеких полночных земель называли земляникой. Мы вернулись к временному лагерю и наконец смогли вкусить горячего мяса и чистой воды из ручейка. И так сладостна была эта простая пища, что казалось, будто вкушаем мы райские яства как праведники, наконец представшие пред очи самого повелителя правоверных.

И вдруг страшный вопль прорезал тишину, до того нарушавшуюся лишь пением птиц и нашими голосами. Капитан, стоя на палубе судна, бил в железный лист и что-то отчаянно кричал. Мы прислушались.

— Скорее, путники! Бросайте все! Торопитесь на корабль! Случилось страшное!

Мы недоуменно переглядывались, не спеша последовать мудрому совету опытного человека. А он тем временем продолжал кричать. Испуг звучал в его голосе, и нам тоже становилось жутко.

— Оставьте вещи и бегите, спасая душу! Убегайте, пока вы еще не погибли!

Слова капитана наконец проникли в наши умы и мы поняли, что надо торопиться так, как не торопились никогда в жизни, мчаться столь стремительно, будто за нами гонится стая вечно голодных волков.

На самом же деле все было куда ужаснее. Клочок суши, на котором мы так вольно пировали, по которому так благодушно гуляли, оказался вовсе не островом. То была чудовищная рыба, быть может, самая огромная из всех, что рождало море. Попав в теплое течение, она затаилась, наслаждаясь. Долгие дни прошли с тех пор, на рыбину нанесло песка, появилась и не один раз выросла и пожухла трава, потекли ручейки, свили гнезда птицы.

Когда же мы разожгли костры, почувствовала эта рыбина жар и попыталась избавиться от досадного неудобства. Мы ощутили под ногами шевеление, а затем чудовищная судорога пробежала вдоль рыбьей спины, которая была велика, как сотня полей, заросших пышными травами.

Капитан первым понял, что за беда постигла нас. Ведь рыбина, почувствовав жар, собиралась охладиться и погрузиться в воду... Выход был только один — бросая все, торопиться на корабль, чтобы отчалить и так спастись от погружения в бездонные пучины вместе с чудовищем.

Мои товарищи заторопились к кораблю. Как быстро мы ни бежали, но до спасительной палубы успели добраться единицы...

Рыбина погрузилась в пучину, и сомкнулось над ней ревущее море. Смогли спастись лишь немногие счастливцы. Капитан не ждал никого. Он торопился отчалить от коварного берега, чтобы водоворот не закрутил его кораблик подобно щепке, когда чудовище погрузится на океанское дно. Я и мои друзья оказались в воде. Аллах был милостив к нам — вскоре рядом с нами всплыли пустые сундуки из тех, что стояли в нашем временном пристанище на коварном островке. На одном из них смог удержаться и я.

Минуты тянулись как годы; наконец волнение вод улеглось. И тут оказалось, что из некогда большой компании дружных купцов, не один день торговавших вместе, выжил в волнах лишь я один. Одному мне Всемилостивейший решил даровать жизнь. Но что это была за жизнь! Ведь я болтался посреди океана, отталкиваясь ногами как веслами, и волны играли со мной, бросая направо и налево. Куда бы я ни повернул голову, в какую бы сторону ни посмотрел, — везде была лишь бесконечная синяя и безжалостно бескрайняя водная гладь, и тогда я понял, что гибну.

Пришла страшная ночь. Воды несли меня неизвестно куда. Висели надо мной безжалостные и безмолвные звезды. Тщетно взывал я к Аллаху, прося попеременно то забрать меня к себе и тем наконец освободить от страха безвестности, то указать дорогу к обитаемым землям, дабы вознес я повелителю правоверных горячую молитву... Наконец рассвело.

Положение мое было жалким. Я все так же болтался посреди бескрайнего океана, но страх мой куда-то ушел, и смог я восхититься великим искусством Аллаха, сотворившего наш мир.

Рассвет из темно-розового постепенно стал золотым, а потом из-за горизонта медленно поднялось солнце — прекрасное, как самая совершенная драгоценность в сокровищнице эмира. Вместе с солнцем, казалось, возродилась и жизнь вокруг меня.

Но не только радостным было для меня такое возрождение. Вскоре показался невдалеке огромный плавник. За месяцы плавания я уже видал самых разных рыб,

и плавник этот, по моему разумению, принадлежал рыбине, что была крупнее всех виденных мною ранее. Наш капитан рассказывал, что акулы — так он называл страшных охотниц океана — чуют запах очень далеко. А если бы ноги мои были изранены или хоть одна капля крови попала в воду, они уже разорвали бы меня на куски.

Но испугаться я не успел — сделав вокруг меня несколько неспешных кругов, рыбина исчезла в глубинах. Мою радость, казалось, разделяли и крошечные серебристые создания, которые высоко выпрыгивали из воды и, пролетев сверкающей дугой, снова падали в воду. Если б я не знал, что в море водятся только рыбы, я бы подумал, что это стайки птичек вспархивают и перелетают с ветки на ветку.

Аллах смилостивился надо мной — весь день царило безветрие и лишь течение куда-то влекло меня. Проходили минуты и часы, утро сменилось полуднем, его жар вскоре сменился вечерней прохладой, потом опять на безбрежные воды опустился звездно-синий полог ночи. И вновь возблагодарил я Аллаха.

Быть может, думал я, это мои последние часы. Но несмотря на неизвестность, в которой я перебывал, и жажду, томившую меня, то, что предстало перед глазами, исполнило меня благоговения перед великой милостью Создателя, ибо подобных красот, величественных в своем совершенстве, не видел доселе ни один правоверный. А может быть, и видел, но не понял, какая милость Творца ему оказана.

Этой ночью я уже не призывал Аллаха, а лишь молился о том, чтобы дожить до того дня, когда смогу я найти земли, обитаемые человеком, дабы рассказать об озарении, что снизошло на меня этой звездной ночью.

И услышаны были мои молитвы. Не успело еще солнце подняться над морем, как появилась вдали темная полоска земли, которая оказалась островом. Скалы вздымались над водой, но я увидел небольшую бухточку. Туда и несло меня течение. Наконец мое суденышко, в которое превратился старый сундук, вынесло на берег.

Почти теряя сознание, выбрался я на песок. Ноги мои отекли, руки и лицо были опалены солнцем. Меня терзала жестокая жажда. Силы покинули меня, и, безмолвный и недвижимый, пролежал я почти сутки до нового восхода. И был я так неблагодарен, что не вознес молитвы Всевышнему, а лишь мечтал о воде и покое.

Вновь надо мной взошло солнце. Лучи его были горячи и безжалостны. Они погнали меня в глубь острова. Искал я и воды, и тени, и пристанища, дабы обдумать, что же делать дальше. Временами я то полз, то шел; след мой напоминал более след улитки, чем человеческий. И вот нашел я ручей. Вода была сладка и холодна. Она придала мне сил оглянуться по сторонам. И увидел я растущие вокруг деревья, а на них спелые плоды. И уже вкушая первый из них, подумал я, что этот остров наверняка не рыбина-чудовище: и скалы и деревья нам не встречались на том предательском островке.

Плоды подкрепили меня, вода освежила. Теперь я мог начать исследовать то пристанище, куда забросила меня судьба.

Прекрасны были берега, и земли, и виды вокруг. Я осторожно шел, опасаясь диких зверей. (Хотя, говоря по чести, опасаться-то надо было не зверей, а самого страшного из них — себе подобного, человека. Ибо нет ничего страшнее зверя, скрывающегося за человеческой личиной.)

Остров казался тихим и безлюдным. Утро сменилось полуднем, а за ним пришел и вечер, но я никого не находил.

Ноги мои передвигались все тяжелее, я начал искать пристанище для ночлега и осматривался по сторонам. На горизонте высились горы, а у их подножья темнели леса. Прозрачный воздух позволял разглядеть все до листика на дереве. И привиделось мне, что где-то там, у кромки леса, созданные рукой человека, стоят дома. Быть может, это был мираж. Хотя откуда взяться миражу на прекрасном щедром зеленом острове? Я решил найти пристанище на ночь, а утром попытаться добраться до тех построек. Даже если они покинуты, то это будет мне лучшим приютом, чем опушка леса или шалаш из ветвей.

И вот, как раз тогда, когда я, смирившийся со своей участью, стал подыскивать небольшую площадку, чтобы попытаться устроиться на ночлег, я заметил что-то живое и огромное.

Страха не было в моей душе, а только любопытство. Ибо откуда взяться страху, когда радуешься всему, что избавляет от одиночества и безвестности?

Это оказался конь. Вернее, кобыла Невиданной мною доселе породы — изумительно красивая, с точеными высокими ногами, горячими глазами и невероятно высокая. Она нетерпеливо заржала, увидев меня, и начала бить копытом, но с места не сходила. Удивившись такому странному поведению, я подошел ближе и увидел, что красавица-лошадь привязана. Значит, где-то здесь есть и человек. Ибо только человеку может прийти в голову остановить бег прекрасного животного.

Я сделал еще несколько шагов в сторону кобылы и услышал рассерженный шепот, идущий от самой земли. Но говорил со мной не дух острова. Это был бородатый человек, который спрятался в кутах и старался быть как можно более незаметным:

— Ты не можешь идти тише, незнакомец?

Невольно я сдержал шаг, стал почти красться. Но недовольный наблюдатель не унимался:

— Да не топай ногами! Лучше подползи ко мне ближе! Видишь же: еще мгновение, и она испугается!

Я послушно опустился на землю и, стараясь двигаться бесшумно, подполз к недовольному бородачу.

— Кто ты? И что делаешь здесь, на заповедных землях нашего повелителя, царя аль-Михрджана? — спросил тот.

— Я Синдбад-купец. Страшное несчастье в один миг сделало меня из богатого бедным, из счастливого несчастным, из жителя щедрого и роскошного Багдада потерявшимся путешественником...

Я вынужден был замолчать, ибо ладонь человека, сидевшего в засаде, зажала мне рот. Сердитый голос прошипел:

— Говори потише, а лучше прошепчи мне все это на ухо... Наши кони так боятся громкого голоса, тем более

A08

сейчас, когда должны из пучины прийти их суженые — морские крылатые кони, счастье и богатство нашего острова и царя аль-Михрджана, да продлит Аллах всемогущий его годы!

И тогда вполголоса, вернее, полушепотом, я поведал бородачу свою историю от того дня, как решил сделаться странником, и до того мига, как, смирившийся, собрался искать хоть какого-то убежища на ночь.

— Повесть твоя печальна, Синдбад-чужестранец! Знай же: ты попал на остров царя аль-Михрджана, владыки самого богатого в мире конного царства и самых прекрасных в мире коней! А я Джафар — первый конюх его Восточной конюшни!

Я поклонился, приветствуя Джафара. (Хотя кланяться лежа на земле было совсем неудобно — но разве неудобство остановит правоверного, чтобы пожелать здоровья и процветания ближнему?)

— Теперь нам надо затаиться, Синдбад-чужеземец! Вот-вот из моря должны появиться крылатые кони. Их мы и ждем. Видишь, красавица Алхас привязана! Сегодня она должна понести от морского коня. А когда родится жеребенок, станет он дороже целого мешка золота, ибо крылатые кони царя аль-Михрджана уже от момента рождения предназначены самым могущественным магам подлунного мира...

— А скажи мне, о Джафар, Алхас единственная ждет сейчас коня морского?

— Ну что ты, чужеземец, — улыбка конюха в полутьме была чуточку насмешливой. — Хороши б мы были, если б у нас была только одна кобыла-невеста! Сейчас по всему берегу привязаны наши красавицы, которые ждут своих мужей. Ведь крылатые морские кони привязываются на всю жизнь, а соединившись, становятся парой до самого дня смерти. Когда жеребец удовлетворяет свое желание, он всегда стремится увести за собой кобылу. И только крепкие веревки не дают ему сделать этого. Знал бы ты, как страшно кричат они тогда, когда приходит миг расставания! Их зовет в пучину безжалостная судьба. И только знание, или, быть может, надежда на встречу через год не дает прекрасным морским крылатым коням и нашим кобылам замертво упасть на месте. Так продолжается из года в год уже не одно столетие, а когда рождаются жеребята, происходит еще одно чудо — жеребчики, едва родившись, взмывают в небо. А там, словно точно зная этот час, кружат их отцы... И только кобылки и их матери остаются с нами...

В голосе первого конюха Восточной конюшни царя было столько гордости, что я невольно позавидовал ему.

— Я свидетель этих чудес уже почти два десятилетия, но великое таинство соединения и изумительной верности наполняет мое сердце благоговением перед чудесами повелителя всех правоверных, Аллаха всемилостивейшего и милосердного! Вот если бы он и людям давал такую же любовь!

— Да ты поэт, Джафар! Я завидую и тебе, и твоему нелегкому, но прекрасному ремеслу!

— Спасибо на добром слове, чужеземец... Скоро начнется таинство. Нам здесь больше нечего делать. Крики крылатых коней призовут нас в срок. А теперь удалимся и дадим совершиться чуду воссоединения и рождению новых жизней!

Ползком мы проделали недлинный путь, и вскоре Джафар указал мне на какую-то странную дыру в земле. Это оказалась дверь. За ней ступеньки вели вниз, к глубоким и уютным комнатам под землей. Здесь все уже было готово для ожидания.

— Будь моим гостем, чужеземец! Вот еда, вот вино...

Мы ели и пили, пока не насытились, а потом курили кальяны, в полутьме думая каждый о своем.

В который раз я мысленно возносил благодарность Аллаху за свое спасение, за встречу с человеком и за то, что, пусть невольно, стал свидетелем чуда. Ведь Джафар и в самом деле был прав: верность и надежда — казалось, такие человеческие чувства, которые среди людей можно встретить реже, чем среди этих сказочных животных...

Голос Джафара отвлек меня от мыслей:

— Уже скоро, Синдбад. Когда таинство свершится, мы отведем Алхас в стойло, а после я доставлю тебя к нашему царю аль-Михрджану, если Аллах будет милосерден и не пошлет нам бед... Знай же, что если бы ты не встретил сегодня меня или одного из моих товарищей-конюхов, то до нашего жилья тебе пришлось бы идти не одну неделю. И неизвестно еще, какие бы несчастья подстерегали тебя на этом пути. Ведь мы живем в самом сердце острова и выходим к берегу только тогда, когда ведем кобыл на встречу с их крылатыми мужьями.

Я хотел, конечно, прямо сейчас отправиться в обитаемые места, ибо во мне ожила и окрепла надежда на то, что когда-нибудь, пусть нескоро, но попаду я в обитель своего сердца — несравненный и прекрасный Багдад. Но понимал я и Джафара. Великое чудо, ради которого он и его товарищи пришли сегодня на берег моря, требовало времени и терпения. Значит, всем нам приходилось ждать.

Медленно текли минуты, мерцали огоньки светильников. Веки мои смежились, я почти уснул. Но в этот момент раздался удар, похожий на удар грома, а затем мы услышали крики, которые не мог издать ни один человек. Низкие, полные отчаяния и тоски звуки дошли к нам под землю так же легко, как будто не существовало никаких преград.

— Что ж, Синдбад, — сказал мне Джафар, — пора. Это кричал муж нашей прекрасной Алхас. Его сердце рвется остаться с ней, но теперь он должен улетать. Обычно мы не торопимся подниматься на берег и даем попрощаться, но сейчас я потихоньку выведу тебя — ты должен увидеть это.

Крадучись, отсчитали мы ступени вверх; прохладный ветерок погладил нас по щекам. Розовело небо — до восхода оставалось немного. Несколько шагов — и мы пришли на прогалину, где Джафар привязал кобылу. Сейчас, в свете звезд, животное выглядело не просто громадным — в нем появилась какая-то угроза. Но быть может, мне так только показалось. Рядом с Алхас стоял ее муж. Прекраснее существа не видал я в мире подлунном. Огромный конь, высотой превышавший взрослого мужчину вдвое, черный как смоль.

Гордый и грозный поворот головы выдал его горячий нрав. Я до этой минуты не верил Джафару, но конь и впрямь обладал огромными крыльями, не похожими ни на крылья птицы, ни на крылья нетопыря; ими он словно обнимал свою подругу.

— Смотри, чужеземец, они прощаются, — прошептал Джафар. — Еще миг, и он улетит... Я наблюдаю это уже не первый раз, но всегда мое сердце замирает от счастья и боли. Я молю Аллаха всемилостивейшего, чтобы дал он мне сил прожить еще год, привести сюда прекрасную Алхас и подарить им еще одну встречу...

Я хотел расспросить Джафара о маленьких кобылках, но меня перебил громоподобный удар — это конь ударил копытом. Потом раздался еще один страшный, оглушительный крик, и порыв ветра начал клонить нас к земле — то взмахнул своими великолепными крыльями морской конь. Морда его еще раз с великой нежностью коснулась морды кобылы — и вот он уже парит в небе, стремительно уменьшаясь... В лучах восходящего солнца он казался еще чернее, чем был на самом деле. Вот к нему стали присоединяться другие крылатые кони... Они улетели, в последний раз криками прощаясь со своими подругами. С земли ржанием им отвечали кобылы. И были в том ржании и радость от встречи с любимыми, и надежда...

— Что ж, Синдбад-чужеземец, нам пора. Идем, отвяжем Алхас и отправился домой.

Я отведу тебя к царю аль-Михрджану и покажу нашу страну. Для меня это будет честью и наградой, ибо нет большего удовольствия, чем показывать незнакомцу любимую родину, прекраснее которой не видел ничего в мире.

(Я был согласен с ним. Правда, однако, заключалась в том, что для человека его родина и место, которое он называет самым прекрасным, не всегда одно и то же. Ибо родиной может быть и всеми забытая деревушка, красота которой — лишь в воспоминаниях человека о сладостных минутах детства.)

Мы отвязали кобылу, которая почти безучастно позволила нам подойти к себе. Она была так велика, что и вдвоем мы без стеснения устроились у нее на спине.

Джафар был прав — те строения, которые я увидел, находились довольно далеко. Ехали мы почти до полудня, и это при том, что чудесная Алхас несла нас гораздо быстрее, чем самый быстрый конь у меня на родине.

Город царя аль-Михрджана был велик и щедр: я не увидел заборов и засовов. Двери домов были гостеприимно распахнуты, а на порогах домов играли веселые и упитанные дети.

— Не удивляйся, Синдбад-чужеземец. Да, наш город богат. Маги более чем щедро платят за волшебных коней. А наш царь мудр и справедлив. Он отлично знает, что его главное богатство — это честный и самоотверженный труд подданных. Чем больше царь нам отдаст, тем лучше мы будем трудиться на благо царства и на благо наших семей.

— Я не вижу у вас заборов и засовов. Вы так доверяете людям?

— Конечно, ведь это мои земляки. Это мои соседи. Мы вместе обрабатываем землю, вместе растим детей, а потом женим их, вместе работаем на благо царя и вместе радуемся праздникам. Нам нечего бояться друг друга, таиться от ближнего. Да, наши семьи гостеприимны и открыты. Конечно, бывает, что мы ссоримся с соседями. Случается, что жена недовольна мужем или муж женой. Порой непослушны наши дети. Но разве этого не бывает в любой стране, в любом городе, где бы ни жили люди?

Город становился все богаче; я подумал, что мы подъезжаем ко дворцу царя. Но ошибся — это оказались царские конюшни. Выстроены они были из камня и богато украшены. Да, уже по одному виду жилища для коней становилось ясно, что же является главным сокровищем царя аль-Михрджана.

Мы с удобством устроили красавицу Алхас, которая, увидев привычные стены, с заметным удовольствием опустилась на мягкий ковер, которым был устлан пол ее загона. (Честно говоря, более всего этот загон походил на богатую и уютную комнату какой-нибудь избалованной красавицы: чистота, уют, мягкие ковры и приятный запах незнакомых мне трав, что пучками висели у стен... Но как еще мне было называть место, где живет лошадь?)

— Хочешь посмотреть на малышей, Синдбад?

— Конечно, хочу.

Я рассматривал жеребят, которых держали в другом крыле огромных Восточных конюшен. Как все малыши, были они забавные и немного неуклюжие, но уже заметно было, какими прекрасными станут эти животные, когда вырастут и окрепнут. Я ждал увидеть и крылатых, но потом вспомнил рассказ Джафара. Ведь крылатыми рождались только жеребчики, которые сразу же взлетали к отцам и уже более не возвращались к матерям.

Малыши содержались в чистоте и неге большей, чем их матери. Да, вот что было истинным сокровищем этого затерянного острова!

Накормив сладкими фруктами кобылок, мы отправились в царский дворец.

Он поражал. Не своими размерами, а тем, насколько уютно и продуманно, но вместе с тем и роскошно был выстроен.

— Дворец построил отец нашего царя, благородный аль-Нареддин. Был он учеником ученика благородного Сулеймана ибн Дауда (мир с ними обоими!) и великим волшебником. Когда-то во время ученичества узнал он из древних книг о нашем острове, что теперь зовем мы остров Кассиль, собрал единоверцев и переселился сюда. Уже тогда слухи о волшебных крылатых конях ходили между магами. И аль-Нареддин понял, что поступит мудро, если сможет стать хозяином этих коней.

— Но ведь волшебных коней приручить нельзя?

— Ты правильно понял, приручить их нельзя. Но кобылы очень нежны. Они любят чистоту и ласку, а потому их просто приманили — им устроили жилища, безопасные и роскошные. Хотя не такие, как сейчас. Постепенно конюшни перестраивали, чтоб нашим питомицам жилось хорошо. Они и сами не хотят отсюда надолго уходить. Только тогда, когда ждут они свидания со своими избранниками, их можно увести достаточно далеко. В такие дни им желаннее всего шум моря и порывы морского ветра. А когда кобылы ждут малышей, они, точно домашние кошки, ищут тепла, уюта и неги.

По богато устланным полам мы пришли в зал, который мне показался залом приемов. Пока здесь, кроме нас, не было никого. Этим и воспользовался Джафар, чтобы продолжить рассказ о своих повелителях и о времени, когда первые кобылы были устроены и принесли первых жеребят.

— Постой, о мудрый Джафар, но ведь получается, что магам не достаются крылатые кони — малыши ведь сразу улетают к отцам и больше не возвращаются…

— Ты правильно понял, но неправильно перебиваешь историю, чужеземец. Ведь точно так же, как и их отцы, в нужный день они прилетают на берег в поисках невесты. Вот тогда их можно ловить и немного приручать, чтобы продавать затем волшебникам всего мира. Вместе с жеребцами мы продаем и кобыл. Да, они не летают, но для народа, у которого живет такая пара, наступают долгие дни благоденствия и счастья, а многие властители, если они умны, обязательно желают обзавестись подобными лошадьми, ибо ничто лучше процветания не говорит о мудрости и заботе властелина о своих подданных…

Монолог Джафара перебили шаги, и вскоре в зале для встреч показался сам царь аль-Михрджан. Был он высок ростом и строен, но уже очень немолод. Его бороду седина посеребрила весьма обильно, но глаза смотрели молодо и, пожалуй, сердито.

— Здравствуй, о царь! — Джафар поднялся с подушек, где мы сидели, и с достоинством поклонился (я заметил и раньше, что не в чести у здешнего народа было суетливое раболепие). — Знай же, что сегодняшней ночью чудо свершилось и мы ждем рождения прекрасных малышей и нового года, когда вновь прилетят к нам волшебные кони...

Царю, похоже, было известно, как благоговеет Джафар перед своей работой и перед волшебными конями. Даже я успел заметить, что первый конюх может часами, не останавливаясь, рассуждать на эту тему.

— Благодарю тебя, Джафар, — с легкой улыбкой ответил царь, перебив конюха. — Ты честно сделал свое дело. Как, впрочем, и всегда. Кого ты привел в мой дворец?

— Царь, это Синдбад-Мореход. А история его столь необыкновенна, что я теряюсь и не могу найти слов...

— Что ж, Синдбад-Мореход. Я рад твоему появлению! Сядь же рядом с нами и поведай нам свою необыкновенную историю...

Мы устроились на шелковых подушках, и я начал рассказ, не приукрасив ничего. Чем больше я рассказывал, тем больше интереса появлялось на лице повелителя города крылатых коней, а мой рассказ о чудовищной рыбе заставил его глубоко задуматься. Я понимал причину его беспокойства: остров его мог в любой момент пострадать от появления этой чудовищной рыбы... А если бы у нее в море нашлись похожие спутники, то беда могла бы стать нешуточной...

— Благодарю тебя за рассказ, о Синдбад-Мореход, и приветствую в моих владениях. Слава Аллаху всемилостивейшему и милосердному за то, что спас он тебя, и за то, что привел под наш гостеприимный кров! Будь же не нашим гостем, а нашим соотечественником. Хочешь ли ты службы у меня или готов стать земледельцем?

— Я благодарю тебя, о царь, за твое гостеприимство. С великой радостью и удовольствием я стану к тебе на службу, ибо вижу я твое правление мудрым, вижу заботу о благе подданных. Я с удовольствием отдам свою жизнь на благородное дело!

Сердце мое наполняла благодарность к этому человеку. Я мысленно возблагодарил Аллаха, что не отвратил он от меня своего взора и позволил вновь найти себе дело, требующее всех сил и знаний.

— Ну что ж, да будет так! — Царь поднял вверх левую руку. — От сего мига ты, Синдбад-Мореход, становишься моим подданным. Я давно ждал человека, который бы видел и умел многое, а твой рассказ убедил меня, что такой человек появился. Знай же: с сего дня ты становишься начальником охраны моего порта!

Такое необыкновенное назначение поразило меня. Я не знал, что здесь есть порт, думал, что царь владеет лишь городом и народом. Но потом вспомнил, что его отец был учеником ученика Сулеймана ибн Дауда (мир с ними обоими!), а значит, и магом. Теперь мне стало многое ясно: царь аль-Михрджан также был волшебником, а по-

тому видел действительную суть и вещей и людей. Сердце мое преисполнилось благодарностью. Я молча склонил голову в знак почтения и согласия.

— Итак, выбирай себе дом. Вскоре, надеюсь, появится в нем и хозяйка. Теперь ты чиновник на царской службе!

Царь задумчиво пригладил бороду, устремив взгляд в окно. Я понял, что аудиенция окончена.

Поклонившись, я вышел из покоев. Вслед за мной пошел и Джафар.

— Царь поручил мне присмотреть для тебя дом.

Я несказанно удивился. Ведь не прозвучало об этом ни слова. А тогда, когда говорили мы с царем, остальные молчали.

Да, видно, я не знал еще и малой доли тайн этого острова и его необыкновенных жителей.

Так я стал жить на острове Кассиль — служил начальником охраны в порту. В подчинении у меня были люди разные: и молчаливые, и болтливые, и на вид богатырски сильные, и слабые как дети. Каждому из них я нашел занятие по силам и уму и удивлялся лишь, что слушают они меня со спокойным достоинством. Соглашаются, не переча, или несколькими словами поправляют тогда, когда говорю я вещи неумные от незнания.

Дни шли за днями. Порт кипел жизнью всех портов: приходили и уходили суда, купцы привозили товары... Часто у причалов слышалась иноземная речь, когда понятная, а когда и вовсе незнакомая, хотя я считал себя путешественником и знатоком.

Как-то раз, когда солнце уже почти опустилось на край океана и я, закончив дневные дела, шел мимо рынка, послышалась мне речь родного города. Я подошел к лавке купцов в ярких одеяниях, похожих на одеяния жителей моего родного Багдада. Да, то были мои земляки.

Какая надежда вспыхнула в моем сердце! Но увы, ей не суждено было сбыться... Старшина купцов Касим ибн Касим рассказал, что судно их попало в сильный шторм, три дня щепкой носилось по океанским просторам, пока не попало в воды этого острова. Дивное диво — огромный крылатый конь, круживший в вышине, привлек их внимание. Удивились путники, но понадеялись, что где-то рядом земля. Последовав за полетом коня, высадились они на гостеприимном острове и возблагодарили Аллаха за милосердие.

Что ж, теперь мы все были соседями и подданными одного царя. Дарованную нам жизнь следовало прожить достойно и ни о чем не жалеть. Нравы острова быстро пришлись нам по вкусу, как и многим другим.

Была у Касима ибн Касима прекрасная племянница со сказочным именем Лейла. А стоит сказать, что женщины здесь могли выбирать себе спутников жизни так же, как и мужчины. Ум и благородство девушки быстро стали приманкой для самых лучших женихов. Но не знаю уж почему, выбрала она меня. Каждый день после службы в порту приходил я в лавку Касима и каждый день засиживался далеко за полночь за разговором с прекрасной Лейлой.

Вскоре понял я, что девушка пленила мое сердце, ибо во сне видел я только ее и наяву думал не о делах, а о мудрых ее речах, прекрасных глазах и мелодичном голосе. Что ж, вот сбылось предсказание царя аль-Михрджана, и в моем доме вот-вот должна была появиться хозяйка.

Касим не возражал против нашего брака, согласилась и девушка, ибо в обычаях острова было спрашивать ее желания и согласия. Сам царь почтил скромное торжество и назвал нас мужем и женой.

Наступила ночь — первая ночь нашего союза. Не знал я, что дарует нам грядущая жизнь, но надеялся, что смогу даровать своей любимой лучшую ночь из прожитых ею.

Я потушил светильники в нашей спальне, оставив лишь два, чтобы рассеять сумрак ночи и страх моей жены перед таинством союза. Лейла улыбнулась мне нежно и призывно, и я стал на колени рядом с ней, нежно коснулся губами ее губ и понял, что эта женщина самой судьбой предназначена мне, что только ее и жаждало мое тело, а моя душа может соединиться лишь с ее душой.

И я впился в ее губы поцелуем, быть может, и не нежным, но жаждущим. Да, то был поцелуй необузданной, неизъяснимой страсти. И жена моя поняла, что эта страсть кипела во мне лишь для нее — неосознанная, невостребованная. Поцелуй становился все жарче. Я чувствовал, что еще минута — и сгорю в огне невероятном. Через мгновенье я уже лежал рядом с ней, сам не помня, как это произошло.

Когда я оторвался от ее губ, чтобы отдышаться, моя жена попыталась воспользоваться этой возможностью и заговорила.

— Я неумела, неопытна. Хочешь ли ты меня такую?

— Хочу, хочу. Очень хочу. — Я сделал глубокий вдох. — Ты пахнешь цветами. Цветок мой, прекрасная Лейла, мне нужно соединиться с тобой, чтобы полностью насладиться радостью нашего брака.

Мои слова сломили ее неумелое сопротивление. Думаю, она мечтала об этом с того самого момента, когда я появился в ее жизни. Сейчас, я видел это, ее захлестывали острейшие ощущения — мое тело так близко к ней, руки прижаты к моей груди, а запах кожи, моя жажда просто кружили ей голову...

Я вожделел ее тела не менее, чем некогда вожделел ее души. И сейчас, получив все это, был не в силах сопротивляться водовороту страсти, что увлекал меня в самую пучину наслаждения.

Мою юную жену томили невероятные ощущения. Неторопливо я снял с нее покрывало и медленно обнажил. Хриплый звук сорвался с ее губ, когда я положил руки на внутреннюю часть ее лилейных бедер.

Лейла готова была потерять голову, когда я нежно добрался до ее цветка наслаждения, обнажив самую уязвимую часть тела. Медленно-медленно наклонил голову, и прежде чем она поняла, что я собираюсь делать, она почувствовала мое горячее дыхание, дразнящее ее нежную плоть.

— Синдбад, что...

В то мгновенье, когда мои губы коснулись ее тела, Лейла вскрикнула. От неожиданности она не могла сдвинуться с места, и неописуемое, невероятное наслаждение от этих ласк заставило ее изогнуться. Тело Лейлы дрожало, источая вожделение, которого она не знала раньше. Когда я провел по нему языком, она застонала, не в силах сдержаться. Я прошелся руками по стройному стану, лаская и возбуждая ту, что была мне обещана самой судьбой. Мой язык ласкал самые тайные изгибы ее девственного тела.

Затем я позволил себе поиграть ее персями; Лейла начала метаться на подушке, хватаясь руками за мои плечи. Она билась в поисках опоры, искала защиты, пыталась прекратить это невероятное, но сладостное мучение. Ей казалось, что она балансирует на краю пропасти, охваченная страстью, от которой прерывалось дыхание.

Неожиданно для самой себя Лейла провалилась в темную бездну наслаждения, настолько резко, что все ее тело задрожало. Она закричала, затерявшись в вихрях страсти, а ее руки прижимали к себе мою голову. А затем ее тело обмякло, и лишь прерывистое дыхание нарушало сгустившуюся тишину.

— Что произошло? — выдохнула она.

— Только что ты в первый раз ощутила, как сладостна человеческая любовь.

Лейла была смущена.

— Что-то странное произошло с моим телом... внутри меня. Ты почувствовал?

— Еще нет, но сейчас почувствую.

Я поднялся и снял шаровары.

Лейла заворожено смотрела на меня. Да, в те годы я был неплохо сложен: широкие плечи, узкие бедра и талия, сильные ноги и покрытые мускулами руки. Она смерила меня взглядом с головы до ног, украдкой взглянув на возбужденный жезл любви. Я усмехнулся ее робости... Покраснев, она отвернулась, но любопытство возвращало ее взгляд к той таинственной части тела, что сейчас впервые открылась ей.

От украдкой бросаемых взглядов я возбуждался еще сильнее. Огонь желания пронзал мои чресла.

— Любимый...

Я взглянул на жену. Глаза Лейлы светились в отблесках лампы. Я хотел ее, хотел еще раз довести ее до крика страсти. Хотел... войти в нее.

Я провел руками по шелковым бедрам, погладил их внутреннюю часть, стал приближаться к цветку страсти... Я никуда не торопился, но знал, что скоро сдерживаться не смогу, и почувствовал, как она напряглась. Она выдохнула мое имя, схватилась руками за мои плечи, а тело ее вытянулось как струна. Я наклонил голову и начал целовать ее груди, покусывая, щекоча. Она тихонько застонала.

Я взглянул на Лейлу. Сейчас она была так прекрасна, намного красивее той девушки, которую я назвал своей женой всего несколько часов назад. Я слегка сдвинулся и, не отрываясь от груди, наконец соединился с ней.

— Лейла, — хрипло прошептал я. Услышал, как она охнула, и подался назад, но ненадолго. Мое тело тре-

A08

бовало удовлетворения. Я вошел немного глубже, стараясь не очень торопиться, но не могу описать, насколько тяжело мне это давалось. Когда же почувствовал, как ее лоно сжалось, маня меня вглубь, я полностью потерял голову.

Я резко подался вперед, словно погнавшись за ускользающим наслаждением. Жена вскрикнула, и я понял, что сделал ей больно.

— Прости, Лейла. Тебе будет хорошо, я обещаю.

Затем подождал немного, позволяя ее телу приспособиться к новым ощущениям, и вновь начал медленно двигаться. Моя прекрасная жена стала двигаться вместе со мной, овладевая великой наукой взаимной ласки.

Дыхание Лейлы участилось, когда боль уступила место другим, намного более приятным ощущениям. Вскоре наши движения слились в гармонию. Каждое прикосновение, вздох, даже взгляд поразительно возбуждали нас обоих, наполняя пульсирующей страстью. Наслаждение сводило с ума эту только что родившуюся великолепную женщину, и она дико извивалась подо мной, просящая, жаждущая, вожделеющая.

Лейла чувствовала, как сила моей страсти нарастает в ней, чувствовала мощь моего тела. Тут я слегка приподнялся и скользнул вниз рукой, положив ладонь на ее цветок страсти, и тогда жарко-белый огонь, заполонивший все, вырвался на свободу. Наслаждение пылающей волной прошло по всему ее телу, и жена моя застонала.

Она дернулась, задрожав, и тут уже закричала по-настоящему. Какой-то частью разума она еще продолжала осознавать происходящее вокруг. Она услышала, как я назвал ее по имени, почувствовала, как внутрь пролилось мое горячее семя.

Задыхаясь, я упал на нее и прижался лицом к изгибу шеи. Обняв ее, прижал покрепче.

После того как стала Лейла моей женой, понял я, что теперь имя мое — Синдбад Счастливейший из Смертных. Ибо не было на свете женщины лучше, чем моя прекрасная подруга.

Помните, что я в ту пору был совсем молод. Хотя и сейчас еще не стар.

И тогда дни мои были быстры как лани.

На заре Лейла будила меня лаской или я, просыпаясь, дарил ей любовь, которую она принимала и которой отвечала со всем пылом прекрасной и умелой дочери Востока. А после дневных трудов, возвратясь домой, находил я его уютным и гостеприимным. Глаза моей жены всегда загорались огнем радости, стоило мне лишь ступить на порог.

Думал я, что судьбе было угодно оставить меня на острове Кассиль до заката дней. Но стали мне сниться сны удивительные. В них я пробирался зарослями невиданных растений, плыл на неизвестных суденышках, боролся бок о бок с незнакомыми людьми, летал по воздуху на странных, чудовищно огромных птицах... Остров волшебника аль-Михрджана подсказывал мне, что я ошибаюсь, и жизнь, полная чудес, только начинается.

Прошел год. Идя домой, встретил я своего друга Джафара, который рассказал о новом чуде: теперь над нашим островом частенько кружат крылатые кони, обороняя его от врагов и показывая странникам, потерявшим дорогу в океане, путь к обитаемой земле. Джафар уже знал историю появления Касима и Лейлы на острове, и потому даже появление в небе крылатых коней днем смог истолковать мудро и правильно.

С радостной вестью мы отправились к царю. Ведь такое необыкновенное событие, как появление хранителей острова в небе, не могло не порадовать нашего владыку.

Царь принял нас очень радостно, но наша весть, как показалось мне, его почти не удивила. Он лишь сдержанно усмехнулся в усы. И опять я вспомнил, что царь был волшебником. «Быть может, — подумал я, — сам царь когда-то уже предвидел появление крылатой охраны. Ведь не только ради золота стал он разводить волшебных коней!..»

— Да. — Голос царя прозвучал ответом на мой незаданный вопрос. — Я давно уже ждал подобных известий. Крылатые кони стали нашими защитниками. Но тебе, Синдбад, рано радоваться: я жду появления в наших водах огромных рыб... Был мне страшный сон, который рассказал, что они могут уничтожить все живое не только в море, но и на берегах нашего прекрасного острова Кассиля. Я решил поручить тебе набрать учеников и научить их всем премудростям твоего ремесла, а сам я собираюсь обучить их магии, которая поможет оборонить наш дом от разорения и бед.

— Я согласен, о царь. Твои повеления всегда мудры...

Царь усмехнулся:

— Просто я давно живу на этом свете... Знай же, Синдбад, ты должен выучить воинов-охранителей быстро, ибо я вижу, что не пройдет и двух лун, как ты и твоя прекрасная жена покинете нас...

— Но как?.. — голос мой осекся, в голове закружили и надежды и опасения.

— Это еще не открылось мне. Знаю лишь, что это произойдет в указанный срок. А потому расскажи об этом жене и помни о защитниках...

Я отправился домой и поведал жене о пророчестве царя аль-Михрджана. Ее радости не было границ. Ведь она, так же как и я, мечтала вернуться в Багдад. Нет, не потому, что здесь нам было плохо...

Почему изгнанники мечтают о возвращении на родину? Потому что это их дом, их родной воздух. Там их ждут близкие или просто люди, такие же, как они сами...

Лейла не раз говорила мне, что теперь у нее словно две родины. Одна — наш остров, который дал ей семью и любовь... А второй родиной по-прежнему оставался Багдад — обитель мира...

Теперь забот у меня стало много больше. Я по-прежнему был начальником охраны порта, но теперь рядом со мной всегда стояли мои ученики — одиннадцать достойных уважения юношей, которым я должен был передать все знания, которые накопились за мои пусть и недолгие, но насыщенные годы.

Ученики радовали меня умом и прилежанием. Сам царь аль-Михрджан учил их таинственному мастерству защитной магии, куда мне, понятно, ход был закрыт.

Сутки следовали за сутками, часы за часами, но в жизни моей не было изменений. Уже почти истекли две луны, о которых говорил царь, но не происходило ровным счетом ничего...

Дни принадлежали моему труду, а вечера и ночи — прекраснейшей Лейле. Ей я открыл, что должно истечь две луны, и ее тоже снедало нетерпение. Хотя, как и все женщины, она лучше скрывала свои чувства. Но разве спрячешь самое потаенное от истинно родной души — ведь я чувствовал ее как себя самого.

И вот день пророчества настал. С самого утра все шло не как обычно. На всегда безоблачном небе появились тучи, грозившие разразиться дождем. Молчали птицы, в природе все замерло.

— Проснись, Синдбад, свет очей моих, — так разбудила меня Лейла. — Я чувствую, сегодня что-то произойдет. К добру это или к худу, но наша жизнь сегодня изменится. Знай же, о мой муж и повелитель, ты всегда будешь самой большой радостью моей жизни!

Ее поцелуй был долгим и горячим, а на губах я почувствовал соль ее слез.

— Что ты, прекраснейшая! Не плачь, ничего не бойся. Аллах не позволит нам расстаться. Что бы сегодня ни произошло, ты всегда будешь рядом со мной. Это так же неизбежно, как восход утром или закат вечером.

Говорил я уверенно, но и у меня на душе бушевала буря. День обещал быть необыкновенным. Но в словах моих не было лжи — Лейла стала частью меня самого, и сам Аллах теперь не мог разлучить нас.

Я отправился в порт. Мои ученики, как и в любой другой день, стали рядом со мной, и мы начали нашу обычную и вместе с тем необычную работу.

В гавани показался корабль. Его очертания были мне смутно знакомы, но откуда, я понять не мог. Я уговаривал себя не думать ни о чем, не пытаться вспомнить, — за год перед мои взором прошли купеческие корабли всех стран подлунного мира и даже корабли стран, что прячутся от взора Аллаха, стран магических.

Спустили сходни. На берегу показались люди. Облик их будил во мне какие-то воспоминания. И вдруг я получил озарение: и обводы корабля, и плутоватые глаза его капитана... ведь это же он кричал нам тогда: «Спасайтесь, правоверные!»

Значит, он не погиб в водовороте! Значит, выжили и другие мои товарищи, что успели взбежать на палубу!

Важность и достоинство слетели с меня, и, задрав повыше полы халата, я бросился со всех ног к кораблю. Сердце готово было вырваться из груди от волнения!

Не успел я добежать, как раздался крик:

— Синдбад! Синдбад, пройдоха! Ты жив!

И навстречу понесся бородач. Он крепко обнял меня и ударил по плечу. Тут я узнал своего друга детства Фаруха, сына Мариам-кушачницы. Значит, он выжил!

— Фарух!

— Узнал, бродяга! Теперь я — уважаемый Фарух, владелец и этого корабля, и многих товаров на его борту.

— Как ты попал сюда? Найдешь ли дорогу обратно? — перебил я его.

— Найду ли? Да что с тобой? Наш капитан найдет дорогу потому, что он привел нас сюда! Мы же шли за предсказанием и ловили легенду!

— Ты о чем?

— Знай же, что когда нырнула огромная рыбина, нас осталось на корабле всего несколько человек... Капитан сокрушался и тому, что смерть нашла людей достойных, и что теперь ему практически в одиночку надо будет управлять кораблем, чтобы вернуться домой. Ну что ж, пришлось и нам, купцам и мастерам, на время стать матросами. Мы превратились в одну команду и смогли найти путь к землям под взором великого и милосердного Аллаха. Через несколько дней пути пристали мы к берегам города Басры, знаменитого и рынками, и людьми, и магами. Удивительно нас встречали, ты даже поверить такому не сможешь. Почти весь город собрался у берега. Люди пели, размахивали ветвями...

— Почему? Что случилось? Вас приняли за корабль султана?

— Нет, сбылось предсказание Хасана Басрийского — мудреца, почитаемого подобно царям. Он предсказал, что в один из дней появится у берега потрепанный корабль с командой, более похожей на разбойников, чем на людей достойных, и что этот корабль привезет с собой славу и легенду, и что однажды, ведомый крылатыми конями, корабль вернет на родину самого великого путешественника по имени Мореход. А слава этого странника переживет века и станет легендой, а его приключения станут более ценными, чем иные сокровища, и переживут и его, и всех, кто будет знать его, и его детей и внуков...

— Удивительное пророчество...

— Удивительное и непонятное. Но нам оно было только на руку. Нас приняли как самых близких из близких. Мы починили корабль, распродали товары, что по-прежнему лежали у нас в трюмах, и стали воистину богачами. Ведь никто не подозревал, что когда-то встретим мы и тебя, и других наших товарищей...

— Так ты теперь богач?

— Да, у меня много кораблей, много домов... Но я разочтусь с тобой по чести. Все до последнего медяка я тебе верну, да и с процентами. Фарух некогда был воином, потом стал купцом. И быть может, станет кем-то еще. Но он был и остался человеком честным.

Я рассмеялся. Огромный камень упал с моей души. Значит, вот как сбылось пророчество царя аль-Михрджана! Вот почему мне надо было подготовить себе замену. Значит, скоро домой...

И в этот момент тучи разошлись. Яркое и радостное солнце осветило все вокруг.

— Идем же, Фарух, в мой дом! Там ты мне расскажешь и то, как сюда попал, и то, какие новости у нас на родине, в обители правоверных, прекрасном Багдаде...

— А-а-а, так ты не забыл нашего детства!

— Ну что ты, я помню все! Идем же!

Мы отправились в путь, а прекрасная Лейла уже спешила нам навстречу. И был Фарух изумлен и домой моим, и таким приемом, и более всего тем, как радостно, открыто и необычайно ведут себя женщины на улицах города. Он прошептал мне на ухо: «Клянусь Аллахом, уже к вечеру я стану женатым человеком! Никогда я еще не видел таких красавиц!»

Нас ждало щедрое угощение. Насытившись, Фарух продолжил свой удивительный рассказ.

— Итак, мы распродали товары, починили корабль. Капитан нанял команду, а мы отправились домой. А впереди нас бежала слава корабля из пророчества. И в Багдаде стали нас осаждать любопытные и безумцы. Все жаждали услышать еще раз эту историю и рассказать то, что слышали от кого-то... Так в один из дней на порог моего дома ступил Хасиб-странник, о котором рассказывали множество непонятных историй, но который никогда не рассказывал историй сам. Выпив с десяток пиал сладкого чая, он вдруг заговорил. И его повесть была удивительной и длинной. А заканчивая ее, он сказал, что нам предстоит долгое странствие вслед за крылатыми конями, которое принесет нам небывалую славу и вернет в Багдад самого знаменитого из горожан. Меня так изумили слова Хасиба-молчальника, что я сразу начал собираться в путешествие. Мы терялись в догадках, что это за крылатые кони и что это за знаменитый горожанин, но согласились отправиться вместе с капитаном.

Путешествие было невероятно быстрым. Уже на одиннадцатый день пути увидели мы в небе черную точку, что стремительно приближалась.

— Замечу, — тут голос Фаруха стал тише, — что мы сначала испугались, что нас выследила легендарная птица Рухх, что больше горы и страшнее преисподней. Точка приближалась. Бойся или не бойся, но с корабля бежать некуда... Мальчишка, что сидел в бочке на мачте, вдруг закричал: «Конь! Крылатый конь!» В этот момент я понял, что все время нас вела судьба. Конь кружил над нами, словно вел куда-то. И уже наутро мы увидели остров, а на его берегу порт. А в порту я встретил тебя. Похоже, что ты и есть тот горожанин из пророчества...

Я засмеялся.

— Что ты, Фарух! Теперь я просто смогу вернуться домой. А со мной, если ты согласишься отправиться прямиком в Багдад, поедет и моя жена, прекрасная Лейла...

Распахнулась дверь, и вбежал мальчишка.

— Синдбад-стражник, тебя и твоего гостя зовет к себе царь аль-Михрджан!

Фарух посмотрел на меня удивленно:

— Почему ты стражник?

— Потому что я служу начальником охраны порта — эту почетную обязанность мне поручил сам царь острова, великий маг и мудрец, который призывает нас к себе...

Мы поспешили во дворец.

В обычно пустом зале приемов я увидел всех тех, кто за этот год стал моими добрыми соседями и соратниками. Увидел и царя. Глаза его, обычно прячущиеся под бровями, в этот раз смотрели прямо:

— Здравствуй, Синдбад-Мореход!

От такого обращения я вздрогнул и вспомнил первую часть рассказа Фаруха... Так значит, вот о каком Мореходе говорило предсказание Хасана Басрийского...

— Здравствуй и ты, Фарух, сын Мариам-кушачницы. Знаю, что еще до заката ты заберешь с собой нашего брата Синдбада. Сбылось мое пророчество, Стражник. Ты подготовил охранников порта, теперь я могу отпустить тебя. Служба твоя закончена, но наши пути еще пересекутся. А пока мне осталось только проститься с тобой и сказать, что я рад тому, что некогда тебя прибило к берегу нашего острова. Помни, здесь всегда тебе рады. Здесь был твой дом, здесь ты нашел свою любовь. Сюда тебе предстоит еще вернуться... А пока — да хранит тебя Аллах, да распростерт он над тобою длань и продлит твои годы без счета в довольстве и счастье!

Фарух молчал, не в силах пошевелиться. Молчал и я.

Значит, теперь дорога к дому мне открыта. Я могу вернуться на родину, но теперь у меня есть место, куда я смогу вернуться и где осталась частица меня самого.

Тем же вечером мы с женой собрались и ступили на корабль. Фарух, как и обещал, до медяка рассчитался со мной. Теперь, по меркам любого купца, я был богат.

И последнее, что я сделал перед тем, как отплыть от причала острова Кассиль, — я послал дар Джафару-конюху. Это была золотая статуэтка крылатого коня.

Нам сопутствовала удача и помогала судьба. Вскоре мы без приключений добрались до Басры. Там меня встречали так, как и рассказывал Фарух. А он стоял рядом, довольно поглаживая бороду, и улыбался. Мне же оставалось только порадоваться своему спасению, вспомнить гостеприимный остров аль-Михрджана и порадоваться возвращению в свою страну.

На второй день мы отправились в Багдад, обитель мира. Со мной была моя прекрасная жена, друг Фарух и достаток, частью которого я обязан собственному усердию, а частью — честности Фаруха. Я прошел по улицам родного города и вернулся в свой квартал. Тот дом, который я некогда продал, стоял необитаемым... Мальчишки на улице сказали, что его хозяин уже давно исчез, а слуги султана не смогли войти даже в ворота. Ни пламя, ни топоры, ни воры не проникли внутрь.

— Это *твой* дом, — услышал я словно издалека голос аль-Михрджана, — он будет только твоим всегда. Войди и назови его «Обитель Морехода».

Вот так я попал домой. Зажил богато и спокойно. А рядом со мной теперь была моя жена, которая подарила мне счастье любви.

* * *

Смолк голос Синдбада-Морехода. В великом изумлении огляделся по сторонам Синдбад-носильщик.

— Никогда еще, о любезный хозяин, не слышал я ничего подобного. Душа моя в великом ликовании оттого, что теперь знаю я о чудесах Аллаха всемилостивейшего еще более и могу благодарить его за всесилие и мудрость.

— Что ж, носильщик. Значит, день сегодняшний был для нас обоих днем непростым. Я рассказал тебе свою историю, и ты ее услышал. Ты порадовал меня своим смирением, а еще необыкновенными стихами. Приходи же завтра в мой дом, и услышишь историю о втором моем путешествии.

Произнося эти слова, Синдбад-Мореход вложил в ладонь носильщика тяжелый кошель.

— Здесь сто мискалей[3] золотом. Теперь ты мой ученик. После дневной молитвы соберутся здесь мои друзья, и ты будешь первым среди них.

Макама вторая

В изумлении ушел Синдбад-носильщик вечером. И в изумлении пришел Синдбад-ученик наутро, чтобы услышать новую историю. И хозяин неспешно начал...

...Рассказ о втором путешествии

Жил я сладостнейшей жизнью и испытывал безоблачную радость, как я уже рассказывал вам вчера. Моя жена была светочем моих очей. Каждый день я благодарил Аллаха великого за нашу встречу. Но вот как-то раз два события одного дня вновь превратили спокойную реку моих дней в бушующий водопад.

Первое событие можно было бы назвать ничтожным. Вернее, в глазах окружающих оно таким и было, но для меня стало очень важным и радостным. Утро было таким прекрасным, а глаза жены рядом со мной —

такими сияющими, что я не мог не протянуть рук и не притянуть Лейлу к себе.

За ночь я успевал изголодаться по ней, а она по мне. И сейчас моя жена, совершенно обнаженная, но ничуть не стесняясь, радостно отвечала на мои ласки.

В лучах солнца, что пробивались сквозь неплотно притворенные ставни, Лейла поднялась, слегка толкнув меня, чтобы я опустился на ложе. Я ждал того, что она захочет со мной сделать... Она скользнула вдоль моего тела и стала передо мной на колени. Но я был не в силах лежать и тоже опустился на колени перед ней, целуя линию между грудей, а затем опускаясь вниз, вдоль живота, к самой ее сути. Сначала моя прекрасная жена приподнялась, но потом я нежно уложил ее на подушки.

Лейла вскрикнула, когда я нашел руками налившиеся лепестки цветка страсти и, наклонившись, начал ласкать их языком. Жена обхватила меня за плечи, а я продолжал сладостное странствие языком по сладким и влажным складкам. Ей оставалось всего несколько мгновений до пика страсти, когда я резко поднялся.

— Не-е-е-е-ет! — воскликнула она.

Я нежно опустил ее на ложе.

— Перевернись на живот, любимая, — только и смог сказать я хрипло.

Лейла вытянулась на животе, глядя, как я возбужден. Она протянула руку к вздыбившемуся жезлу моей страсти.

— Не надо, — сказал я, намеренно избегая ее прикосновения. — Лежи не двигаясь и дай мне любить тебя.

Лейла слегка повернулась, когда я наклонился над ней. Ее тело было таким же горячим, как и мое дыхание. Она вздрогнула от возбуждения, когда мои губы коснулись шеи, целуя и посасывая кожу. Я медленно двигался вниз вдоль линии позвоночника, затем приостановился, чтобы уделить больше внимания прекрасным бедрам. Чаша ее терпения была готова переполниться. Я видел, что жене хотелось закричать, чтобы я поторопился.

— Сейчас, любимая, сейчас.

Я спустился пониже и подложил подушку ей под живот. Лейла чувствовала себя такой открытой, такой уязвимой, но не понимала, что же я собираюсь делать. Она вздрогнула, когда я коснулся ее губами, затем дернулась и застонала, приподнявшись, чтобы мне было легче.

— Я прошу тебя... — Она хотела большего.

Она почти потеряла голову от страсти, когда я наконец вошел в нее. Лейла двигалась мне навстречу и бессловесно умоляла не останавливаться.

— Знаю, — шепотом ответил я. — И чувствую то же.

Лейла стонала, а я двигался в ней все быстрее и быстрее, и она чувствовала, что буквально через миг страсть захлестнет ее с головой. Склонившись, я откинул ее волосы в сторону и покрыл поцелуями шею, а затем накрыл обе перси ладонями и стал поглаживать их. Я чувствовал, что мои ладони горячи как огонь, но желание мое было еще горячее.

Лейле казалось, что ее душа готова покинуть тело. В ней нарастала сладкая боль такой силы, которой она еще не ощущала. Ее страсть была сильнее рассудка, а удовольствие превышало все пределы. И на пике страсти она содрогнулась.

Через несколько мгновений я присоединился к ней. Закричав, я сделал еще несколько движений, а затем теплая волна семени излилась в ее лоно. Мы лежали в тишине, задыхаясь. Затем Лейла перевернулась на бок и посмотрела на меня, прекрасная как цветок лотоса и сияющая счастьем.

— Знай же, Синдбад, что вскоре нашу семью ждет великое счастье. Ибо ты станешь отцом нашего первенца...

Эти слова, такие простые и безыскусные, прозвучали для меня настоящим откровением. Теперь я знал, что наш союз с Лейлой, начавшийся так необыкновенно, благословил Аллах, дав нам ребенка и надежду.

Я поцеловал землю у ног своей жены — прекраснейшей из женщин, и поспешил отправиться на базар. Там, в лавках торговцев драгоценными камнями, мечтал я найти подарок для любимой.

По дороге меня нагнал скороход.

— О достойнейший, не ты ли путешественник Синдбад-Мореход?

— Да, это я.

Я удивился. Не своей славе, что бежала быстрее меня, а тому, что даже на улице любой мог безошибочно сказать, кто я.

— Повелитель нашего города, великий Гарун-аль-Рашид, да продлит Аллах его годы на тысячу лет, призывает тебя пред свои светлы очи.

Я поклонился скороходу и поспешил за ним. Я не мог предвидеть, что значит такое приказание, но и ослушаться его не мог.

Не обычным путем повел меня скороход, и через странные, никому не известные ворота ввел во дворец. Мы шли темными коридорами, и только молчаливые стражи, не шевелясь, провожали нас взглядами. Наконец у занавешенного богатой красной тканью входа мы остановились. Скороход зашептал:

— Дальше ты пойдешь один. Ничему не удивляйся и не торопись думать, что тебя заманили в ловушку. Наш повелитель вот уже несколько дней пребывает в печали великой. И потому только избранные в этот час могут беседовать с ним.

Я сделал несколько робких шагов, и полог за моей спиной опустился. В полутьме я разглядел лишь горы подушек и силуэт повелителя, что лежал, печально глядя в высокое окно. Мои шаги, казалось, его нисколько не удивили. Вернее, он не обратил на них ни малейшего внимания.

— Присядь здесь, Синдбад, и помолчи минуту. Скоро ты все поймешь.

Этот голос принадлежал невысокому, на вид щуплому человечку. Только последний бродяга в нашем городе не знал, что это могущественный визирь Абу Алам Монте-Исума. Его внешность могла обмануть только пришельцев. Визирь знал в Багдаде все обо всех, мог одним движением брови послать на смерть, но никогда этого не делал, ибо был мудр и давно поставил свою мудрость на службу повелителю Багдада. Что же понадобилось халифу от меня, ничтожнейшего?

Медленно текли минуты. В узком проеме окна солнце становилось все безжалостнее. Близился полдень...

— Здравствуй, Мореход.

Голос халифа Гарун-аль-Рашида оказался неожиданно звучен и вовсе не слаб.

— Не удивляйся. Вот уже не один год визирь Абу Алам учит нас необыкновенному искусству узнавать все обо всех, не сходя с места. А твоя слава обогнала тебя уже давно и пришла в наш дворец еще до того, как ты после странствия вновь ступил на улицы родного города. Знаем мы и то, что с сегодняшнего утра ты считаешь себя счастливейшим из смертных. Нам бы хотелось разделить с тобой эту радость, но не сейчас...

Повелитель замолчал, но заговорил визирь. Вполголоса, чтобы не потревожить размышлений владыки, он начал:

— Наш халиф печален. Он всегда считал себя не только всесильным, но и самым богатым человеком на свете. И вдруг купцы страны, что лежит по ту сторону великого Серединного моря, привезли ему в дар от царя своего, которого они называют фараоном, камень невиданной красы и небывалого размера. Если бы это был камень обычный, его следовало бы считать бериллом — так красив и глубок его сине-голубой цвет. Но это камень размером с голову ребенка...

От изумления я не мог вымолвить ни слова.

— Купцы же, — продолжал визирь, — обращались с ним как с безделицей и утверждали, что у царя-фараона их знойной страны множество таких и еще более прекрасных и крупных камней. Вот потому и печален халиф — от него ушла слава коллекционера и владельца самой роскошной сокровищницы подлунного мира.

— Вот-вот, — согласился халиф. — Это было нашей гордостью. Мы знали, что владеем самыми чудными диковинами мира. И что теперь?

— И теперь, — добавил визирь, — халиф решил вернуть себе то, что принадлежит ему по праву. А заодно проверить правдивость слов купцов далекой знойной страны.

Я молча взирал на двух самых могущественных людей Багдада и понимал, что скоро вновь передо мной раскроется безбрежность океана.

— Да, — сказал халиф, — ты все понял верно. Наше величество желает, чтобы ты снарядил самый крепкий корабль, взял с собой самых надежных спутников и отправился вместе с одним из купцов фараона туда, куда он тебе укажет. Если и в самом деле ты найдешь место, где много таких камней или других необыкновенных диковинок, привези их нам. Теперь уже нам не столько хочется сделать самой богатой нашу казну, сколько убедиться в том, насколько причудлив мир.

Я позволил себе удивиться:

— А почему ты, о повелитель правоверных, не отправишься сам в такое путешествие? Ведь тебя будут слушать лучше, чем меня, к твоим услугам самые смелые моряки, самые надежные суда и самые отчаянные сорвиголовы. А я бы отправился вместе с тобой, ведь я уже кое-что знаю о великом Серединном море, где, по словам купцов, и нашли такие чудеса.

Но повелитель не разгневался. Напротив, он печально усмехнулся и сказал снисходительно:

— Мы бы с удовольствием отправились в такое путешествие. Но знаем, что удаляться от обители правоверных нам нельзя. Мы не боимся, но наш визирь говорит, что в определенном смысле на нас в этом городе все и держится. А словам визиря мы привыкли верить. Его сказочные умения, часть из которых уже изучили и мы, еще ни разу нас не подводили.

Мне оставалось только молча склонить голову. Итак, впереди новое путешествие. Но что будет с моей прекрасной Лейлой? Не могу же я взять ее с собой!

Визирь ответил на мой невысказанный вопрос:

— О своей семье не тревожься. Они ни в чем не будут испытывать нужды. Оставь с ними любого из своих слуг. А доброта халифа столь велика, что от того дня, как ты отплывешь в путешествие, и до того дня, как вернешься, дом твой будут охранять и беречь верные мамлюки халифа — отчаянные смельчаки, преданные как собаки и умные как самые мудрые мудрецы.

Я вздохнул. Похоже, что за меня уже давно все решили. Что ж, если выбора не осталось, пора было готовиться в путь.

— Скажи мне, визирь, могу ли просить тебя о том, чтобы двоих из этих верных людей отпустили вместе со мной в путешествие. Боюсь, что в одиночку мне не справиться с тем важным поручением, которое мне дал халиф.

— Наш повелитель рад твоей просьбе, — проговорил визирь. — Да, не двое, а четверо отчаянных смельчаков отправятся с тобой. Полагайся на них как на самого себя. В бою они отважны, в походе терпеливы и сильны, а советам их можешь доверять так же, как доверял бы моим советам.

Гарун-аль-Рашид отвернулся к окну. Так я понял, что могу считать себя свободным.

Домой я почти бежал. Предчувствуя дальнее странствие, хотел оставшиеся часы провести со своей прекрасной женой.

У моего дома уже суетились слуги и носильщики. У ворот появились четверо сильных мужчин, в которых без труда можно было узнать личную охрану халифа. Поклоном они поздоровались со мной. Я ответил тем же — теперь это были мои спутники в том тяжком путешествии, что предстояло нам по воле Гаруна-аль-Рашида, повелителя правоверных, да продлит Аллах его годы без счета.

Прекрасны и печальны были глаза моей любимой Лейлы в тот миг, когда она прощалась со мной. От слез и причитаний нас обоих удерживала лишь надежда на скорейшую встречу. А для этого надо было совсем немного — найти островок, где в изобилии (по словам купцов) разбросаны эти самые драгоценности, собрать их и привезти в Багдад.

Наше путешествие по Серединному морю протекало гладко и без происшествий. Купец из знойной страны говорил, что это потому, что охраняет его сам царь. Но разве важно, кто охраняет?

На третий день пути поднялся свежий ветер. Он погнал наш корабль все быстрее и быстрее. Волны становились все выше, а небо — все темнее. Предстояла великая буря, и тут уже было ясно, что хранила нас только судьба.

Резкий порыв ветра порвал парус... Теперь спасение было в руках Аллаха... Охрана халифа сейчас казалась такой же бесполезной, как пустые мешки, в которые мы должны были собирать камни. Я вознес Аллаху отчаянную молитву, прося лишь одного: позволить мне выполнить нелегкое поручение повелителя правоверных и не погибнуть.

Корабль раскачивался все выше, волны захлестывали и перекатывались через палубу, спасения не было.

Гигантская волна выросла над суденышком невероятно высоко и словно котенка подняла меня над палубой. Я барахтался, кричал, но меня никто не видел и не слышал — каждый пытался спастись сам.

Но и сейчас Аллаху было угодно ставить меня в живых. Волна, играя со мной, как дитя с игрушкой, то накрывала с головой, то вздымала до небес, все время стремилась куда-то, не отпуская ни на миг. И в тот момент, когда я уже мысленно попрощался с этим прекрасным миром и поблагодарил Аллаха за все лучшее, что было в моей жизни, вода вдруг отхлынула, и я почувствовал под ногами твердую землю.

Итак, я и на этот раз остался жив. Один как перст, вымокший до нитки, я стоял на клочке суши посреди безбрежного океана. Спасся ли кто-нибудь еще так же, как спасся я? Или мне предстояло странствовать в одиночку?

Тучи тем временем быстро расходились. Заголубело небо, появилось солнце. И я смог наконец оглядеться. Первое впечатление оказалось обманчивым. Это был не крошечный клочок суши, а гигантская равнина. Вдали высились горы, за спиной простиралось море, а прямо передо мной, сколько хватало глаз, колыхались травы. Что ж, надо было идти. И я сделал несколько шагов. Под ногой хрустнула веточка. Я в испуге остановился и стал оглядываться. И вдруг далеко по правую сторону от себя увидел что-то огромное и белое, что ослепительно блестело на солнце.

И я решил идти туда.

Чем дальше я уходил от берега, тем выше становились деревья вокруг. Среди них я не видел ни одного знакомого листка. Да и травы, что расстилались вокруг, были все до одной неизвестны. Что ж, если так, то надо собирать и травы. Ведь халиф послал меня за чудесами, а вокруг и были одни диковины...

Чем ближе я подходил к огромному белому предмету, тем выше он становился. Наконец разглядел я, что это гигантский купол. Белый как снег, он не имел ни входов, ни лазеек, а в высоту был так велик, что накрыл бы и самый высокий минарет моего любимого, но, боюсь, навсегда потерянного города. Я подошел к куполу как можно ближе, обошел вокруг... Никаких следов ворот или хотя бы высоких бойниц.

Пришла мне в голову мысль, что это и есть цель моего путешествия. Но никаких сил не хватило бы мне, да и всей команде смельчаков, чтобы доставить этот огромный таинственный белый предмет в сокровищницу.

Я рассматривал купол, пытаясь понять, что это за чудо и каково его предназначение, но вдруг солнце померкло, будто началось затмение. Я в испуге поднял голову и увидел невероятных размеров птицу, что парила надо мной. Оба ее крыла были так велики, что закрыли ослепительный солнечный диск. Птица спускалась, и тут я понял, что это не купол. Это гигантское яйцо чудовищной птицы! Еще на острове Кассиль слышал я легенды об огромной птице Рухх, что кормит своих новорожденных птенцов слонами.

От страха я не мог сделать ни шага. Сил хватило лишь на то, чтобы восхититься Аллахом всесильным, создавшим такое чудо.

Птица плавно опустилась рядом со мной. Когда она сложила крылья, порыв ветра чуть не сбил меня с ног. Я упал в траву и затаился. Но птица не заметила столь ничтожное существо. Она устроилась на яйце и уснула, как это делают самые обыкновенные куры, когда солнце клонится к закату.

В темноте, да рядом с этим гигантом я решил, что буду в безопасности... И устроился неподалеку...

С приходом сумерек все вокруг ожило. Послышались какие-то страшные звуки, будто огромные кошки крались по каменным полам и пищали мыши, за которыми охотились эти чудовищные твари. От страха я был сам не свой. Но вдруг мне пришла в голову

спасительная мысль (воистину, слава тому, кто не спит!): я снял тюрбан, размотал его, а потом свил что-то подобное веревке, если, конечно, бывают веревки из синего шелка.

Итак, я обвязался этой веревкой, привязал себя к ногам чудовищной птицы и изо всех сил затянул узел, говоря сам себе: «Может быть, Рухх отнесет меня в обитаемую страну. Это будет лучше, чем пытаться бежать с этого диковинного острова в одиночку».

Я провел без сна жуткую ночь. Вокруг раздавались непонятные звуки, и я прижимался к яйцу, словно мышь к стене. Но и за толстенной скорлупой тоже было неспокойно — там рос птенец, которому предстояло превратиться в чудовище.

Наконец настал день. С первыми лучами солнца проснулся и гигантский Рухх. Испустив крик, от которого у меня кровь застыла в жилах, птица расправила крылья и взмыла в небо. И я, привязанный к ее лапе, взлетел над гнездом...

Мне вспомнился сон на острове крылатых коней. Тогда я тоже летал и надо мной мерно махала крыльями птица огромных размеров.

Мы летели недолго, но так высоко, что под ногами моими я видел лишь облака. Вскоре птица Рухх стала спускаться. Показалась зелень, потом скалы... И вот птица села на возвышенное место, показавшееся мне крутым холмом. Что ж, сейчас или никогда!

Я мгновенно развязал свой тюрбан и отбежал как можно дальше. Но птица меня не увидела. Два хлопка огромных крыльев — и Рухх перелетел на другой похожий холм. Вспомнилось мне, как в наших краях охотятся стервятники. Рухх был похож на одного их них. А птица тем временем схватила что-то лапами и взмыла вверх вместе с добычей.

Казалось бы, нет уже сил удивляться чудесам. Но, присмотревшись к добыче Рухха, я удивился и испугался. То была чудовищная змея, соизмеримая с самой птицей.

Страх прошел по всему моему телу. Куда же я попал? Какие же еще диковины предстоит увидеть мне?

Быть может, это остров великанов? И все здесь под стать им: и птицы, и змеи, и камни, и хищники?

Холм, на котором я стоял, оказался просто чудовищным камнем, а подо мной расстилалась широкая и глубокая долина, окаймленная горами столь высокими, что вершины их скрывались в облаках.

Мною овладело уныние, я перестал верить в свои силы, опустился наземь и стал себя упрекать: зачем привязал себя к птице, зачем покинул то место, куда меня вынесли волны? Быть может, туда вскоре пристанет корабль. Если б я остался, то мог бы, наверное, уже возвращаться домой в Багдад, столь милый моему сердцу...

«А если нет? — раздался у меня в голове вопрос, и я с удивлением узнал голос всесильного визиря Абу Алама. — А если бы страшная птица Рухх заметила тебя? В тот же миг закончились бы все твои мытарства. Не удивляйся, Синдбад. К сожалению, я ничем не могу помочь тебе, но слышу твои мысли и могу ответить на них. Делай то, что задумал, и не пытайся упрекать себя ни в чем. Ибо наши пути не всегда предопределены заранее. Нам дана и свобода выбора. А делать что-то всегда лучше, чем, опасаясь, не делать ничего. Мне осталось лишь сказать, что дома у тебя все хорошо. А если понадобится тебе какой-то совет, просто подумай обо мне — и я попытаюсь приложить свои скромные знания для твоей пользы».

«Благодарю тебя, о визирь. — Мне и в самом деле стало спокойнее от слов этого великого старика. — Теперь я не один, но не скажешь ли ты мне, что стало с моими спутниками? Они были людьми достойными и надежными...»

«Они живы, но, к сожалению, я не знаю, ни где ты, ни где они. Не знаю, как далеко вас разбросала буря. Знаю только, что они тоже на каком-то странном острове, полном чудес и гигантов. Твои товарищи опечалились, когда, придя в себя, не увидели тебя рядом. Но они живы, и, если Аллаху будет угодно, доберутся до обитаемых правоверными мест. Быть может, вам еще будет дарована встреча...»

Что ж, если все мои спутники живы, то надо лишь найти их. Надо выполнить поручение халифа и как можно скорее вернуться в благословенный Багдад, обитель правоверных.

Усмехнувшись, я стал спускаться вниз. Задача моя была невероятно сложна, но теперь я был полон сил и никакие чудовища меня не пугали.

Спустившись в долину, я увидел, что не земля у меня под ногами. Мелкий песок переливался всеми цветами радуги — это были мелкие драгоценные камни: изумруды, рубины, бериллы. Ослепительно блестели алмазы. Но вот этот чудесный песок сменился более крупными камешками. Вот они уже стали с голубиное яйцо... А теперь с яблоко.

Чем ближе я подходил к скалам, тем крупнее становились камни. Наконец я увидел изумруд величиной с мою голову. Да, это именно такая диковина, о которой мечтал халиф. Я вновь размотал тюрбан и стал в него заворачивать камни побольше, а в карманах халата и в складках шаровар разместил драгоценности поменьше. Теперь меня не подняла бы и самая сильная птица.

Под тяжестью своих находок я еле плелся, но все же достиг скал.

И невольно вскричал. Ибо скалы были тоже огромными драгоценными камнями. Чудовищно огромные рубины горели кровавыми огнями, изумруды разбрасывали ярко-зеленые лучи... Что ж, если не доставить в сокровищницу подобные чудеса, то хоть рассказать о них я должен.

Меня окружали картины изумительной красоты. Но среди драгоценных скал не было видно прохода.

Неужели я попал в ловушку? И кто сейчас начнет охотиться за мной, таким маленьким и неповоротливым?

Словно в ответ на эти мысли послышалось оглушительное шуршание. Мне представилось, что это огромная змея ползет по камням, на ходу перетирая их своим невероятным весом в драгоценный песок. Я окаменел. Шуршание становилось все ближе, все громче.

Внезапно скалы раздвинулись — беззвучно, молниеносно, волшебно.

Аллах дал мне крошечный шанс. И я поспешил им воспользоваться.

Я юркнул в открывшийся проход и побежал со всех ног. Страх, что подгонял меня, был так велик, что я бежал, как не бежал никогда в своей жизни. Бежал и не чувствовал ни веса камней, ни оглушительного биения собственного сердца.

Внезапно извилистый коридор превратился в пещеру. Высота ее была так велика, что свод терялся в непроглядной тьме. Да и сама пещера была не узким лазом в скалах, а роскошным и к тому же ярко освещенным дворцом. Я замер от изумления и страха, оглядывая удивительные хоромы, вид которых мог поразить любого, даже самого опытного путешественника.

Каменный пол устилали дорожки из персидских ковров изумительной красоты. Освещали пещеру драгоценные камни. Неведомая сила держала их в воздухе на разной высоте, а свечение было таким ярким и радостным, словно летнее солнце подарило день своего сияния каждому из них.

Под стенами пещеры стражниками застыли громадные кобры, раздув свои чудовищные клобуки. Они были и живы и не живы — глаза их блестели и головы слегка поворачивались, осматривая все вокруг, но приподнявшиеся мускулистые тела в обхвате более любой колонны оставались неподвижны. Посреди пещеры на помосте, устланном роскошными коврами, сидела женщина невероятной красоты. Обыкновенной ее не поворачивается назвать язык. Но это была красавица обычного человеческого роста. И лишь что-то в ее движениях подсказывало, что змеи — ее верные слуги и любимые существа.

Как далеко от меня ни был помост, но улыбка красавицы ослепила меня. Я почувствовал себя червем. Грязный, всклокоченный, с камнями везде, где можно их спрятать, весь в земле...

Но то, что я увидел справа у дальней стены, просто пригвоздило меня к месту. Огромная клетка, схожая с птичьей. А в ней... в ней я увидел своих спутников. Тех самых отчаянных сорвиголов, которые должны были стать моей охраной и силой! Клетку обернула еще одна чудовищная змея — ее тело до половины закрыло бы рост даже самого высокого мужчины. А голова, плоская и словно улыбающаяся, лежала рядом с помостом Повелительницы.

У меня за спиной нарастало шуршание, но я не мог сделать ни шага. Что ж, последняя картина моей жизни могла внушить ужас любому, даже самому отчаянному смельчаку.

— Не бойся, незнакомец! — Голос Повелительницы, сильный, но ласковый, прозвучал в тот миг, когда я уже простился с миром. — Мои слуги умны и послушны. Они никогда не причинят вреда никому без моей команды. А Миттард просто немного прогулялась и теперь возвращается к своим малышам. Верно, моя красавица?

Мимо меня проползло чудовищное тело огромной змеи — каждая ее чешуйка была с ладонь взрослого мужчины. Но это страшилище не повернуло ко мне морду, нет. Оно направилось прямо к Повелительнице, обернулось раз вокруг помоста и потекло куда-то в глубины скал за спиной у своей хозяйки.

— Входи, не бойся! Для друзей у меня всегда найдется и еда, и питье.

Что ж, пришлось подойти. Каждый шаг под насмешливым взглядом красавицы был невероятно тяжел, но выхода все равно не было. Когда до роскошных ковров Повелительницы оставалось совсем немного, я увидел, что мои товарищи заметили меня. Заметили и узнали. Значит, теперь я был не один. Теперь они могли помочь. Пусть не острым мечом, но хотя бы метким словом или советом.

Я взошел по ступеням, укрытым персидскими шелками, и опустился рядом с Повелительницей. Нет, она все же казалась обычной женщиной лишь издали. Кожа ее, нежная и бархатистая, была чуть зеленоватой. А глаза, насмешливые и мудрые, и в самом деле были глазами змеи — ярко-зеленые и с вертикальным зрачком. Неведомое испытание приготовил мне Аллах, неведомые чудеса огромного мира раскрывались передо мной. И я, обычный человек, чувствовал себя игрушкой в руках насмешницы-судьбы.

Я принял из прекрасных лилейных рук Повелительницы пиалу с горячим напитком. По вкусу он напоминал отвар из фруктов, но слегка кружил голову. На огромном золотом подносе высились горой обыкновенные плоды садов. Рядом на золотых блюдцах лежали орехи самых разных стран. Я вкусил и фисташек, и орехов нут, и плодов далеких северных земель, которые, как я знал, называются лесными орехами. И все они были вкусны и обыкновенны. Что ж, значит, я останусь жив. Значит, для чего-то другого подготавливает меня Повелительница.

— Что привело тебя в мои земли, чужеземец, и как зовут тебя?

— Я зовусь Синдбад-Мореход, а в путешествие меня отправило желание халифа обители правоверных, всесильного Гаруна-аль-Рашида.

Не утаивая ничего, я рассказал, как повелитель узнал о невиданных диковинах, как захотел иметь такие у себя в сокровищнице и как я попал на остров Драгоценных камней.

— Что ж, Синдбад, я вижу, что ты не лжешь. В награду за это я оставлю тебе все, что ты смог собрать вокруг моего скромного жилища. Завтра на рассвете я отпущу тебя. Не ведаю, как доберешься ты до своего повелителя. Но никто из моих подданных — ни птица, ни змея, ни зверь — тебя не тронет. Даю тебе слово Повелительницы гигантов, всесильной Анаис...

Я поклонился:

— Благодарю тебя, Повелительница. Но мне этого недостаточно. Вон там, в дальнем углу, я вижу в клетке моих спутников. Это мои соплеменники, друзья и товарищи. Жизнь каждого из них так же дорога мне, как моя собственная. Чего ты захочешь за их свободу?

Повелительница посмотрела на меня очень странным и страшным взглядом. В ее голосе стало больше гнева, чем насмешки.

— Ты не ведаешь, чего просишь! Свобода этих несчастных тебе не по карману. Нет ничего такого, что ты мог бы мне дать. Но ты меня удивил. Неужели твой страх не гонит тебя немедленно прочь? Ведь моим словом ты свободен, повеление твоего царя ты выполнил. И можешь, не медля ни секунды, бежать отсюда...

— Я уже сказал, о Повелительница. Это мои товарищи. Их жизнь не менее драгоценна, чем моя. И еще раз спрошу тебя: чего ты хочешь за их свободу?

Всесильная Анаис рассмеялась. Камни ее пещеры серебристым эхом повторили эти странные звуки.

— Что ж, чужеземец. Ты меня не только изумил, но и рассмешил. Пожалуй, я придумала цену свободы твоих спутников. Скажи мне, Синдбад, ведь ты мужчина? Сильный мужчина?

— Смею надеяться, о Повелительница.

Анаис молчала, размышляя о чем-то. Страшные предчувствия начали посещать мою душу. Чего она потребует взамен свободы? Чего мне придется лишиться?

— Я решила. Чужеземец, ты можешь купить свободу своих спутников. Каждый из них станет свободным после того, как ты сможешь доставить мне своим телом невиданное мною ранее удовольствие. Сколько раз закричу я за ночь от сладости, столько твоих соплеменников выйдет утром из клетки.

Слова Повелительницы вселили в меня ужас. Я представил себе эти страшные мгновения, представил, что со мной, нагим, сделают змеи, если я не смогу удовлетворить эту страшную женщину.

Мои товарищи в клетке тоже слышали эти слова. От ужаса они закрыли руками лица. Что теперь делать было мне, несчастному?

Повелительница змей смотрела испытующе и насмешливо. И я решился.

— Что ж, прекрасная Анаис, я согласен. Сколько раз за ночь закричишь ты от страсти, столько моих спутников утром уйдут со мной! Но сейчас, пока ночь еще не наступила, позволь мне насытиться и отдохнуть. Мне предстоит тяжелое испытание и сил понадобится много.

— Отдыхай, насыщайся. Ночь наступит через несколько часов. Мои подданные сообщат нам об этом. Я разрешаю тебе прогуляться по пещере, пока я буду осматривать свои владения. Жди меня!

Женщина два раза хлопнула в ладоши; одна из кобр, что стояли у стены, опустившись, заструилась к помосту. И вот уже Повелительница, оседлав огромную змею, покинула пещеру, где в страхе остался я.

— Не делай этого, Синдбад.

Голос старшины мамлюков был хорошо слышен.

— Ты не знаешь, как страшна эта женщина. Фархад-стрелок уже пытался купить свободу для одного себя. Он не смог разжечь в ней никакого огня. Разгневавшись, она отравила его ядом неподвижности, а утром змеи растерзали его тело так, что не осталось ни клочка ткани даже от его тюрбана.

— Но я дал слово и потому сейчас прошу вас, мои товарищи, быть утром готовыми бежать отсюда. Как бы ни распорядилась судьба, что бы ни произошло, будьте наготове. Держите свое оружие при себе. А я попытаюсь сдержать слово.

Впереди была ночь испытаний, но сейчас я решил отдохнуть и набраться сил. «Ведь она всего лишь женщина, — вспоминая некоторые мгновения своей жизни, подумал я. — Неужели в моих чреслах не найдется жара, способного разжечь ее?»

Я проснулся, когда в зале раздалось шуршание множества громадных тел. Верхом на змее появилась и Анаис-повелительница. Ее подданные проползали мимо торжественной вереницей.

— Добрых снов вам, мои подданные, отдыхайте до утра! Да пребудет с вами спокойствие!

По мановению ее руки вокруг нас двоих вырос шатер, прекрасный и уютный.

— Настал твой час, Синдбад. Времени до утра много, но я вся в твоей власти. Тебе отдана самая могущественная женщина под этой луной.

Но я не торопился возлечь с ней. Ведь возбудить можно по-разному! Иногда для этого нужно просто не трогать женщину... Но иногда для этого надо стать десятируким, как боги, чьи статуэтки привозят на роскошный багдадский базар купцы из далекой восточной страны. Поэтому я неторопливо обошел весь шатер, снял халат, оставшись лишь в шароварах. Анаис-повелительница со своего ложа следила за мной.

Я опустил ее на постель и нерешительно протянул к ней руку. Она не отстранилась, но и не попыталась мне помочь. Я усмехнулся.

— Ты испытываешь меня, Повелительница гигантов?

— Нет, Мореход, я просто хочу узнать, как сейчас мужчины пытаются завоевать внимание женщины. Тот человечек, что до тебя пытался возлечь со мной, не добился ничего.

— Но это не значит, что никто этого не сможет. Верно?

— Посмотрим, — она тонко улыбнулась.

Я сел рядом с ней на ложе, положил ладонь ей на губы, чтобы больше не прозвучало ни слова. Эти губы были мягки и теплы. Я лишь удивился, что считал ее не женщиной, а змеей, — сейчас передо мой была прекрасная и желанная красавица. Чуть растягивая удовольствие, я начал снимать с нее украшения, приподнял, а потом и совсем убрал с головы диадему вместе с головным платком. Пепельные волосы роскошной волной упали с подушек на персидские ковры, что по желанию Повелительницы устилали пол... Расстегнул пуговички на кофточке-чоли и через голову стащил батистовую рубаху. Нежная, будто светящаяся кожа изумительной груди засияла, а нежные плечи, казалось, только и жаждали прикосновений. Я чувствовал, что уже возбужден, и порадовался лишь тому, что пока не снял шаровар. Наверное, это была попытка хоть как-то обуздать рвущееся наружу желание.

Потом я сел рядом с Анаис, заключил ее в свои объятия и поцеловал. Поцелуй не был нежным или соблазнительным, этот поцелуй разрушал душу. Он мутил ее сознание, наполняя ее желанием. Такой глубокий поцелуй, полный страсти, переворачивающий мир. У Анаис задрожали ноги — столь много обещал этот поцелуй. А мужчина, что подарил его, вовсе не боялся... Нет, он возьмет все, что она сможет ему дать. А отдаст еще больше.

— Скажи, чего ты хочешь от меня, — прошептал я так, что дыхание коснулось ее губ.

Анаис покачала головой. Она не хотела признаваться в своем желании. Я должен был понять: она может отказать кому угодно! Но, к ее глубокому изумлению, когда она открыла рот, губы сами собой сказали:

— Я хочу тебя.

Я снова поцеловал ее, еще глубже, еще чувственнее. Это был уже поцелуй властелина. Когда же я оторвался от ее губ, она застонала, протестуя. От такого страстного порыва у Анаис закружилась голова, и она, пошатнувшись, упала на подушки.

— Закрой глаза, — резко сказал я.

— Что? — моргнула она.

— Отдайся в мою власть и делай то, что я говорю, если ты и в самом деле хочешь познать истинную страсть, а не робкие игры.

Анаис двигалась неуверенно, медленно, словно засыпая. Тогда я схватил ее за запястья и освободил от одежд. Теперь моему взору были открыты все округлости и тайны этого великолепного тела. Гортанно вздохнув, я коснулся ладонями персей, а потом провел по ним большими пальцами, сжав их, терзая и лаская. Кожа съежилась, и стало ясно, как давно никто по-настоящему властно не ласкал эту прекрасную женщину. Неземные страстные ощущения, я видел, сводили Анаис с ума; тело ей уже не принадлежало, и она прижалась ко мне. Я почувствовал, что сейчас ее тело принадлежит мужчине и она будет делать все, что он пожелает.

Мои руки скользнули к плечам, потом вдоль тела и по бедрам. Она тихонько постанывала, когда я касался ее тела в самых неожиданных местах. Ее жажда опьяняла и меня, опьяняла неслыханно быстро. Настолько быстро, что я боялся не совладать с собственным жаром... Я был в ужасе, что горю таким вожделением к ней, ведь от этой страсти зависел не только миг наслаждения, зависела жизнь моих товарищей. Но в тот миг я не помнил ничего. Чувствовал лишь, что обязательно должен слиться полностью с этой женщиной, принять ее всю, отдаться ей и сделать так, чтобы она наконец покорилась.

Наклонившись, я страстно ее поцеловал, а пальцы легкими движениями коснулись ее гладкой кожи. Застонав, Анаис прижалась к моей руке.

— Я... довольно...

— О, как раз это я и хочу сделать. Чтобы ты была довольна, красавица. Это будет долгая ночь, полная удовольствия для нас обоих.

Затем наклонился, целуя ее шею и спускаясь к прекрасной груди. Начал ласкать ее возбужденно торчавшие соски, посасывая и покусывая их, пока Анаис не стала извиваться от вожделения.

Прекраснейшая не знала, сколько еще ей придется терпеть эту чувственную пытку. Мои поцелуи обжигали как огонь, а я все продолжал целовать ее, спустившись к пупку, а затем все ниже и ниже, к бедрам, пробуя на вкус нежную кожу, горящую от моих прикосновений. Когда она задрожала в ответ на такие ласки, я нежно взялся за ее бедра и, подняв голову, взглянул вверх. Ее глаза блестели слезами в тусклом свете.

— Я хочу ощутить твой вкус.

Она замерла, а я продолжил, посасывая, целовать бедра, двигаясь на этот раз снизу вверх, к той точке, которая больше всего ожидала моего прикосновения. Когда же я коснулся центра ее наслаждения, Анаис вскрикнула. Ее напряженное тело уже пылало от вожделения, и казалось, она готова была взорваться, когда я лизнул цветок страсти и языком провел по нежным тайным складкам.

— На вкус ты сладкая, — пробормотал я, а она дернулась, выкрикнув мое имя.

Все тело дрожало, предчувствуя невиданную ранее негу. Мой язык все еще двигался в жарких лепестках. Взвизгнув, она схватилась за мою голову, инстинктивно запустив пальцы в волосы. Я продолжал свою жестокую пытку, не обделяя вниманием ни единой складочки до тех пор, пока наслаждение не стало просто невыносимым. Ее сердце бешено стучало, выпрыгивая из груди от отчаянной страсти.

— О боже, — охнула она. — Я не могу... Я хочу столь сильно...

— Ну же, — сказал я, подняв голову от своей роскошной добычи. — Получи то, что хочешь.

— Не останавливайся, — простонала она.

— Никогда!

Мои руки скользнули под ее бедра — она вся словно раскрылась навстречу мне, моим жаждущим губам. Я почувствовал, что смогу доставить ей удивительное наслаждение, быть может, никогда ранее не испытанное.

Анаис застонала. Каждое медленное, нежное прикосновение моего языка было для нее и раем и адом. Я продолжал посасывать ее, пить ее соки, мучая ее наслаждением, а она дергала бедрами, пытаясь освободиться от неизбежных мерных движений моих губ и языка, от безжалостных истязаний смелого рта.

Глубоко в ней начал рождаться крик. Анаис дрожала все сильнее и сильнее, дергая головой из стороны в сторону и двигая бедрами в такт страстным движениям языка.

— Я больше не могу, — резко выдохнула она.

— Не сдерживайся. Позволь себе все.

От невыносимого удовольствия из ее груди вырвался стон, но возбуждение все нарастало и нарастало, а я продолжал свою нежную пытку до тех пор, пока она, закричав, обессиленно не откинулась на подушку. Ее голова кружилась, и Анаис едва осознавала, что я, приподнявшись, лег сверху и начал нежно покусывать грудь, продлевая волну наслаждения до тех пор, пока она наконец не схлынула, оставив красавицу беспомощной, словно новорожденный.

Глядя ей в глаза, я опустился чуть ниже и резко вошел в нее так глубоко, что Анаис охнула. Наклонив голову, я поцеловал ее, и наши языки сплелись, казалось, для того, чтобы больше никогда не разъединиться.

Внезапно я резко перевернулся на спину, так что Анаис очутилась сверху, а я по-прежнему оставался глубоко в ней. Схватив за колени, я посадил ее на себя верхом так, чтобы были видны все доселе неизвестные мне изгибы прекрасного тела.

— Твоя очередь, Анаис. Теперь ты командуешь. Делай со мной все, что тебе угодно.

Всего несколько мгновений назад Анаис, я уверен, могла бы поклясться: ей больше нечего желать, но я показал, что это не так. Ибо знал, как совладать с ее телом и как позволить получить еще больше наслаждения. И вот она начала двигаться на мне, а я соединялся с ней все глубже и глубже, и она стонала от наслаждения, двигаясь со мной в такт. Я сдавил соски и начал легонько играть ими. Она почувствовала, как волна огненной страсти пробежала от груди к тому месту, где наши тела соединялись.

Все ее тело было напряжено, а я, приподнявшись, шептал ей на ухо, заводил ее еще больше своими словами, которые вели ее все ближе и ближе к раю.

— Ну же, Анаис, ну!

Застонав, Анаис почувствовала, что падает в звездное небо и касается его. Этого мне и не хватало для того, чтобы наконец излиться в ее лоно. Теперь звезды засияли и для меня. Я позволил себе немного отдохнуть.

Но это был еще не финал. Анаис открыла глаза и потянулась к моему жезлу страсти. Нескольких движений было достаточно, чтобы мне опять захотелось ее даже сильнее, чем ранее. Я думал о том, как давно ей не доставляли удовольствия опытные мужские руки, которые не просили о жизни, не умоляли о миге свободы, а просто желали удовлетворить ее, доставить радость. Я повернулся на бок; своим горящим телом она чувствовала мое нарастающее возбуждение. Я опустил руку и нашел ее цветок страсти. Тихий вздох был ответом на мой невысказанный вопрос. Тогда пальцами я коснулся нежного бугорка и начал исследовать изгибы ее жаркого лона. Стараясь получить больше удовольствия от моих движений, она оторвала бедра от ложа и слегка приподнялась мне навстречу.

После нескольких минут тишины она еще сильнее подалась навстречу. Я позволил ей тереться о свою руку, а сам все настойчивее ласкал средоточие блаженства. Она двигалась все быстрее и быстрее, забыв обо всем, растворившись в блаженстве.

Дикая страсть, с которой она это делала, завораживала меня. Я никогда не видел, чтобы женщина была так поглощена собственным возбуждением. Она двигалась все сильнее. Я же старался сделать ее ощущения еще ярче.

И вот она вскрикнула и забилась в судорогах, отрывая тело от ложа. Я продолжал ласкать ее, пока она не затихла, хотя ее дыхание все еще было прерывистым. Я улыбнулся, услышав третий крик Анаис-повелительницы.

* * *

Повелительница спала. Да и мои силы были на исходе. И более ее прекрасное тело не вызывало у меня ни-

A08

каких чувств. Безумие ночи, ее сладостные объятия и громкие крики, конечно, льстили мне как мужчине. Но я чувствовал, что надежды моих спутников умерли. Ведь всего три раза кричала Анаис. А спутников моих в клетке было пятеро.

Что же делать? Как спасти их?

Я понял, что придется браться за меч, пытаться отвоевать их силой. Но сейчас, нагой, я мог только прикидывать, где взять оружие. Ведь вся моя одежда лежала у края помоста, и в каждой ее складочке был камень из тех, о каких так мечтал халиф...

Минуты шли, но уснуть я не мог. Мысли все время вращали вокруг одного: где взять оружие?

Я встал, оделся, стараясь не издать ни единого звука. Одеяние мое было тяжело, будто я надевал не шелковые шаровары и халат, а страшные доспехи вроде тех, что привозят из далеких северных стран люди, что зовутся франками.

Я отодвинул полог и босиком подбежал к клетке, вокруг которой по-прежнему спала, обернувшись, огромная змея.

Мои товарищи уже ждали меня.

— Выхода нет, придется нам пробиваться на свободу. Вот только не знаю, где мы сможем найти оружие. — Я решил не тратить время на объяснение. Каково же было мое изумление, когда старшина мне сказал, что оружие осталось при них!

— Повелительница уверена, что наши кинжалы и мечи ничего не смогут сделать с ее чудовищными слугами. А потому, посмеявшись, оставила нам все.

— Это была ее ошибка. И мы воспользуемся ею. Киньте мне один из тех дамасских кинжалов, что еще на корабле видел я у вас в руках.

Судьба была ко мне милосердна, и сталь, блеснув, упала на мягкий ковер, не издав звона.

Выбора не оставалось: стальной клинок вошел в тело сонной Повелительницы легко и бесшумно. Но она все же была волшебницей и потому прожила ровно столько, чтобы страшным голосом, перешедшим в оглушительное шипение, закричать:

— Ермундгад, слуги мои, ко мне!

Змей, что охранял пленников у клетки, распрямившись, мгновенно оказался у помоста. Но мои товарищи ждали этого и в тот же миг освободились. Я же стоял босиком, не в силах отвести глаз от поднимающейся надо мной чудовищной головы. Вот еще секунда, и я останусь здесь навсегда.

— Синдбад, пригнись!

Голос старшины мамлюков вывел меня из оцепенения. Огромный алмаз, выпущенный из пращи, ударил змея по голове. Удар оглушил чудовище, и в тот же миг я перепрыгнул через его тело. Острые грани камня разрезали кожу, и теперь потоки темной дымящейся жидкости окружали помост. Пора было уносить ноги.

Мы бежали по боковому коридору. Рассуждать сил не оставалось, и я положился на своих товарищей — их боевой опыт должен был нам пригодиться.

Вот показался свет, и мы выскочили из каменного коридора. Дальше пути не было — все пространство от скал до самого берега моря было запружено чудовищами: змеи и птицы Рухх, звери с рогом на носу и ящерицы, огромные как дом... Что ж, нам оставалось как можно дороже отдать свои жизни.

Мы замерли. В отчаянии я мысленно воскликнул: «Что же нам делать теперь, о всезнающий визирь?!»

«У старшины мамлюков на поясе должен быть кошель с серебряными монетами. Эти монеты заколдованы, а сила их так велика, что от соприкосновения с волшебным серебром любое чудовище превратится в камень. Вы сможете пробиться к кораблю, что ждет вас в бухте за скалами...»

От этого ответа в глазах моих потемнело. Неужели все было предусмотрено заранее и мы оказались просто игрушками в руках халифа?!

«Нет, Синдбад. Ты, твои силы и мужество — вот самое главное оружие. А серебряные монеты каждый мамлюк носит с собой с того самого момента, когда становится на службу халифа, да хранит его небесный свод! Не теряй времени. За вами гонятся слуги Повелительницы!»

— Бросай серебро! — закричал я что было сил. — Это единственное спасение!

В глазах мамлюков страх сменился изумлением, а изумление — отчаянной радостью. Блеснув в лучах солнца, серебряные монеты упали на чудовищную охрану дороги. И — о счастье! — подданные Повелительницы великанов окаменели. Сзади слышались кошмарные звуки — нас догоняла армия чудовищ, что пряталась в подземельях и гротах. Времени терять и в самом деле было нельзя!

Мы бежали так, будто нас несли на плечах самые быстрые ифриты. И вот показались берега бухты, а вдалеке и в самом деле виднелся кораблик.

Мы решились плыть — но без помощи моих товарищей я бы не добрался до спасительной палубы корабля. Ступив на него, я услышал тихий плач. Оглянулся по сторонам, но стало ясно, что звуки эти слышу только я.

«Прощай, Синдбад! Мне была предсказана смерть в тот миг, когда я отдамся тебе. Я не поверила... Теперь умираю. Но помни, мои слуги всегда будут следить за тобой. Опасайся их...»

Повелительница гигантов оставила мне свой прощальный дар...

Через семь долгих дней, радостным утром ступил я на пристань родного Багдада, обители правоверных. Со слезами встречала меня моя прекрасная жена.

Все диковинные камни, что я смог привезти, отдал я халифу в сокровищницу. Знаю, что подобных редкостей более ни у кого из властителей не было.

Не одним кошелем звонкого золота одарил меня Гарун-аль-Рашид. Но теперь я уже не радовался ничему, кроме соединения с моей прекрасной Лейлой, слаще губ которой не было ничего в этом мире...

⋆ ⋆ ⋆

Вот так закончилось второе путешествие.

— А завтра, — сказал Мореход собравшимся, — если захочет Аллах великий, я расскажу вам о чудесах своего третьего путешествия.

И когда Синдбад-Мореход окончил свой рассказ, он приказал выдать Синдбаду-ученику сто мискалей золотом. Синдбад взял их, ушел к себе домой, изумляясь тому, что пришлось вынести Синдбаду-Мореходу, и благодаря Аллаха и то, что он вновь позволил изумиться невероятным чудесам огромного мира.

А дома Синдбад-ученик решил записывать все, что рассказал его учитель, чтобы в назидание потомкам остались изумительные, полные правды повести Синдбада-Морехода.

Макама третья

Настало утро третьего дня ученичества Синдбада-носильщика. Вновь он покинул свой дом, чтобы прийти и услышать новый рассказ о невероятном путешествии Синдбада-Морехода. В руках его был свиток, а в кармане перо и самые черные из чернил, что смог предложить ему с утра лавочник.

— Доброго тебе утра, о Синдбад-Мореход!

— Да хранит Аллах и тебя, ученик. Теперь я вижу, что ты готов выучить тот урок, что я собираюсь преподать тебе.

— Я хочу лишь записать твои рассказы в назидание потомкам и для их поучения.

Мореход лишь благодарно поклонился и пригласил жестом ученика в тот же прохладный зал, что уже встречал гостей Синдбада-Морехода. Послышались шаги, и появились гости. Все собрались вновь, чтобы услышать изумительную повесть. Но теперь рядом с хозяином сидела женщина. Роскошный пурпурный чаршаф[4] скрывал контуры ее тела, но все понимали, что это хозяйка дома, благородная Лейла, одно воспоминание о которой делает голос Синдбада-Морехода полным меда.

Когда гости насладились и насытились, послушали игру прекрасной рабыни и успокоились душой, Синдбад-Мореход начал...

...Рассказ о третьем путешествии

Знайте, о братья, что предстоит вам выслушать рассказ о третьем путешествии; он более удивителен, чем рассказы, услышанные в предыдущие дни, а Аллах лучше всех знает сокровенное и всех мудрее.

Итак, я вернулся из второго путешествия и жил в радости и спокойствии. Да благословит Всевышний нашего халифа! Его заботами я мог более никогда не работать, не торговать и не путешествовать, ибо благодарность Гаруна-аль-Рашида оказалась велика. Рядом со мной была прекраснейшая из женщин. Чего еще пожелать правоверному? Так текли дни за днями. Я, подобно мудрейшим сказителям, рассказывал своей жене о чудесах мира. Близился день, когда у нас должен был появиться наследник. И не было в целом свете людей счастливее нас.

В то утро, когда начинается рассказ о третьем моем путешествии, Лейла сказала мне:

— О господин мой, свет очей моих! Наш первенец родится без тебя. Я чувствую, что сегодня придет к тебе скороход от нашего халифа, да хранит его небесный чертог! Но ты смело оправляйся на зов, не откладывай и не мешкай. Поручение халифа будет трудным, но ты вернешься как раз в тот день, когда надо будет нашему малышу прошептать на ухо заветное «бисмилля! [5]».

Вы знаете, братья мои, как дорог истинному правоверному тот день, когда отец говорит своему родившемуся малышу это священное слово! Конечно, и я не хотел его пропустить. Но также я знал, что предчувствия моей прекрасной супруги сбываются всегда. А потому с легким сердцем стал ждать посыльного из дворца халифа.

Конечно, Лейла сказала правду и на это раз. Задолго до полудня в открытые ворота вбежал мальчишка, низко поклонился и звонко прокричал:

— Да хранит Аллах этот счастливый дом! Великий халиф, да смилуется над ним Аллах милосердный, смиренно просит Синдбада посетить его покои!

Вот так я снова оказался в прохладных и уютных комнатах дворца, где любил размышлять и прислушиваться к миру повелитель правоверных халиф Гарун-аль-Рашид. Всеведущий визирь Абу Алам Монте-Исума, конечно, тоже был здесь — бестелесной тенью он стоял рядом с дверью в тайные покои и ждал, когда я пересеку порог.

— Да хранит тебя Аллах! Ты не задержался!

— Я знал, что очень скоро наступит день, когда великий халиф призовет меня для служения ему, — заметил я.

Мне очень не хотелось признаваться, что моя мудрая супруга предупредила меня об этом. Равно как не хотелось и говорить, что я знаю о том, что мое пу-

тешествие по поручению халифа будет тяжелым, но недолгим. Смирение в моем голосе должно было убедить визиря.

Абу Алам как-то странно посмотрел на меня, но промолчал. Долгим и испытующим взглядом окинул меня и халиф. Но тоже не сказал ни слова.

Было непривычно тихо, лишь ветерок без трепета и стеснения врывался в высокое окно.

— Знай же, Синдбад, что дошло до великого халифа известие о чуде. Рассказывают, что в северных странах встречаются места, где посреди синего моря высятся белоснежные горы. Рассказывают также, что на этих белоснежных горах не может выжить ни одно живое существо, ибо эти белоснежные горы сложены целиком из холода и страха. Гарун-аль-Рашид, да хранит его Аллах всемилостивый и милосердный, хочет знать, правда ли это. Халифу, конечно, хотелось бы, чтобы одна такая гора украшала дворцовый парк. Но халиф понимает, что есть вещи, которые неподвластны человеку. Лишь ифрит может перенести такую гору под окна приюта всемилостивейшего повелителя правоверных. А потому Гарун-аль-Рашид просит тебя лишь узнать, правда ли то, что такие горы высятся посреди моря.

Я онемел. Никогда еще мне не приходилось слышать о таких чудесах. Я готов был совершить любое путешествие во имя халифа Гаруна-аль-Рашида, но как узнать, правда ли это? Как найти такое синее море, посреди которого высится белоснежная гора, что сложена лишь из холода и ужаса?

О моя бедная жена! Боюсь, в это раз твои предчувствия обманули и тебя и меня. Никогда уже мне не вернуться на гостеприимный порог моего уютного дома. Никогда не увидеть наследника, не прошептать ему на ушко заветное «бисмилля!».

Халиф отвернулся от окна и еще раз взглянул в мое окаменевшее лицо.

— Согласен ли ты выполнить такое поручение, Мореход?

— Да, о мой халиф. Я отправлюсь в далекие северные земли и попытаюсь проверить правдивость этих слов.

— О семье не тревожься, почтенный Синдбад. Отныне ее будут охранять так, как охраняют наше величество. Собирайся в дорогу и поскорей расскажи нам о том, что узнаешь в далеких странах. А если и в самом деле найдешь такую гору, то принеси ее в парк перед окнами. В этом медном кувшине в древней печатью заточен дух огня. Он и будет твоим помощником.

Не ведал я, что еще остались в этом мире духи огня, которых некогда заточил великий маг и чародей Сулейман ибн Дауд (да пребудет мир с ними обоими!). Но оказалось, что сокровищница халифа воистину неисчерпаема, и самые разные древние тайны ждут своего часа, чтобы показаться из тьмы веков.

Вот так случилось, что уже через два дня я на огромном корабле франков плыл на север. Туда, где по ночам в небе прекрасной драгоценностью сияет звезда, которую эти варвары называют Полярной.

Наше путешествие было недолгим. Бури пощадили нас, и мы почти без происшествий доплыли до пристаница халифа варваров-франков, которого они между собой зовут королем. Капитан корабля оказался человеком, понимающим, что такое поручение повелителя. Он пригласил меня к себе, чтобы помочь в том деле, ради которого я был вырван из объятий своей прекрасной Лейлы.

Мы прибыли в город, посреди которого течет река, а посреди той реки стоит замок жуткий, но прекрасный. Стены его сложены из белого камня, а крыша украшена чудовищами, страшнее которых не видел я даже в пещере Повелительницы гигантов. Но халиф франков не живет в этом дворце.

Такое чудо удивило меня, и я решил, что обязательно расскажу о нем своему повелителю, если Аллах смилостивится и охранит меня в моем путешествии.

Вечером капитан пригласил в свой дом других капитанов. Оказалось, что франки — народ путешественников. Они бороздят моря и океаны от далеких полночных до сказочных полуденных стран. Им ведомы многие тайны, которыми они, впрочем, охотно делятся с теми, кто жаден до нового и необыкновенного.

Другом капитана был высокий белокожий человек с белыми длинными волосами и рыжей бородой. Его тяжелый боевой топор заставил бы завидовать любого из телохранителей халифа. Звали этого гиганта Олаф-смельчак, и говорил он голосом громким, как крик птицы Рухх, и низким, как рычание льва.

— Я знаю, о каком чуде ты рассказываешь, южанин. Знаю, что в тех водах, где некогда бывали наши корабли — мы зовем их кнорры, — видели такие белые горы, что сложены из холода и ужаса. Сам я не могу отправиться вместе с тобой искать такую гору, ибо так же, как и ты, связан поручением своего повелителя. Но через два дня здесь должен появиться мой брат — Ульве-мудрый. Если твой бог договорится с моим богом, они помогут вам вместе в странствии по северному океану, чтобы найти и изловить такую гору.

Два дня я провел, гуляя по городу франков и дивясь его чудесам. О каждом из этих чудес я хотел рассказать своему повелителю. И потому начал записывать каждый свой шаг и каждую свою мысль.

А когда пришел вечер второго дня, на пороге дома, где меня приютил капитан, появился Олаф-смельчак. Рядом с ним стоял еще один гигант. Такой же беловолосый, с таким же чудовищным боевым топором.

— Это мой брат, Ульве-мудрый. Вот уже десяток лет он бороздит северные моря на корабле, который зовется «Молот Тора». Мой брат ведает путями течений и дорогами ветров, а потому мы зовем его штурманом. А владеет кораблем прекрасная Сигрид — воительница, равной которой наша земля не рождала уж полтысячи лет. Сигрид — дочь нашего властелина. Она более всего в этом мире любит искать новые пути и находить новые земли. Ей, точно так же как и тебе, по душе чудеса и диковины. Ибо их поиск стал для прекрасной Сигрид любимым делом.

Я поклонился белоголовому Ульве. Насколько он стар, определить я не мог. Но вот его невероятная сила мне была хорошо видна. Заметил я и его спокойствие. Оно наполняло душу и отражалось прозрачным цветом весеннего неба у него в глазах.

— Приветствую тебя, путник из далекой полуденной страны, — медленно проговорил Ульве-мудрый. Голос его был так же низок, как голос его брата. — Олаф-смельчак рассказал мне, что ты ищешь. Я знаю об этом чуде. И не один раз видел в синих спокойных водах блеск белых гор, сложенных из холода и ужаса. Если Один[6] позволит, я возьму тебя с собой. Наш кнорр — скорлупка крепкая, видавшая множество штормов. А Сигрид, я знаю, с удовольствием позволит отправиться на охоту за такой белоснежной горой. Ведь ее самая большая страсть в жизни — поиски тайн и чудес. Будь готов к утру покинуть эти стены. По реке через город мы спустимся к тому месту, где у берега стоит наш красавец кнорр.

— Быть может, золото, которого немало дал мне с собой наш халиф, да хранит его Аллах всемогущий, поможет добиться согласия вашей властительницы?

Оба северянина захохотали.

— Она и сама давно мечтает найти такую гору. А золотом следует распорядиться мудрее: поиски чуда могут затянуться не на один день, а потому следует запастись едой, питьем и теплой одеждой... Особенно для тебя, изнеженный житель полудня! Жди нас завтра поутру!

Ночь я провел без сна. Тревожился о том, что осталось у меня дома, о том, что ожидает меня дальше... Конечно, такие мысли не к лицу бывалому путешественнику, но я предчувствовал, что еще много лет мне предстоит искать чудеса и диковины мира, дабы удовлетворить любопытство моего владыки, халифа Гаруна-аль-Рашида.

Утро встретило меня чудовищным холодом. Дул ветер, мелкие брызги дождя обжигали лицо. А франки смеялись над моей изнеженностью.

— Что бы ты сказал, если бы попал к нам позже? Зимние ветры тебя, наверное, просто свели бы в могилу!

— Да, — согласился я, стуча зубами от холода. — Я бы рассказал Аллаху, какие холодные ветры дуют там, где только ступила нога правоверного.

Когда же в комнату вошли варвары-северяне, я не поверил глазам. Были они румяны, а их одеяния из толстых кож распахнуты на груди. Но я удержался от слов. У каждого народа свои привычки, каждый народ по-своему любит жару и холод, даже одними и те ми же словами называет разные времена года!

Я пытался терпеть, но мое тело вовсе не хотело соглашаться с этим. И потому почти весь путь по реке до стоянки корабля северян я проделал, укутавшись в тяжелый мех темного зверя, — мои спутники называли его медведем.

Я увидел корабль варваров, и меня бросило в жар! Нос его был изогнут, как у хищной птицы, бока круто изгибались над водой, а парус украшала такая страшная физиономия, что любой был готов бежать за горизонт, только бы не видеть ее.

На палубе суетились люди. Их было не так много, но они казались настоящими великанами. Сильные,

длинноволосые, они пели что-то разбойничье, поднимая парус и разворачивая корабль к берегу.

На корме я увидел женскую фигуру. Статью она не уступала своим спутникам. А смоляно-черные косы так и змеились на свежем ветру.

— Вот она, наша повелительница Сигрид-странница! — Ульве-мудрый показал рукой. — Самая любопытная из дочерей нашего народа и самая сильная из наследниц нашего повелителя. Никто не смеет ей перечить. Но тайны она любит больше всего на свете! Это единственное, что может ее порадовать, единственное, что влечет ее вперед.

У наших ног упали сходни, и Сигрид-странница сошла на берег. Почему-то я думал, что она окажется гигантского роста. Но нет, сильная и статная, она была, быть может, на палец выше меня. Сине-зеленые как море глаза смотрели уверенно и спокойно, а голос был теплым и сочным, как сладкий созревший плод.

— Вот и ты, Ульве. Кого ты привел к нам? Что это за странный человечек кутается в шкуру?

— Это, повелительница, Синдбад-Мореход, подданный халифа Гарун-аль-Рашида, повелителя полуденного города Багдада. Халиф послал Синдбада на поиски белой скалы, что плывет посреди синего океана и сложена из холода из ужаса. Я знаю, что и ты хочешь изловить такую гору, потому и привел Синдбада к нам. Никто лучше нас не справится с таким делом.

Сигрид рассмеялась.

— Тогда пусть берет теплую медвежью шкуру с собой. Скажи ему, если он не понимает нашего языка, что нам понадобится в этой погоне много припасов. Пусть займется этим. Завтра в полдень мы отправимся на охоту за белой скалой!

— Я понимаю ваш язык, прекрасная Сигрид, — сказал я с достоинством. — Пусть мой вид не обманывает тебя. Я бывалый путешественник, и только страшные северные ветры согнули меня и закутали в шкуру зверя.

— Ну что ж, Синдбад. Вот завтра после полудня мы и посмотрим, какой ты бывалый путешественник. Море всех судит по справедливости, и бывалых, и новичков. Займись нашим гостем, Ульве. И помни: много припасов! Дорога дальняя, моря грозные и безжалостные!

И весь день, и весь вечер мы скупали у лавочников еду и питье, одежду и шкуры... Поэтому поднявшись на корабль-кнорр, я уже не чувствовал ни обжигающего ветра, ни холода. Лишь одно желание — лечь и уснуть — владело мной.

«Спи, Мореход! Завтра ты отправишься в невиданное странствие. Будь спокоен: каждый твой шаг станет известен повелителю!» Голос визиря доносился до меня сквозь сон. Но может быть, мне просто приснились эти слова.

Топот ног по деревянным доскам разбудил меня уже почти в полдень. Когда поднялся я на палубу, то увидел, что берег заметно отдалился.

— Ты готов, бывалый путешественник? — раздался позади голос Сигрид-странницы.

— Да, готов. Запасы на корабле, а мое любопытство просыпается раньше меня. Теперь мы можем ловить белую скалу хоть до конца веков!

Быть может, в моих словах была излишняя бравада, но они явно пришлись по душе юной деве. Глаза ее лукаво блеснули.

— Что ты так пристально смотришь на мои руки, Синдбад? Неужели женщины вашей страны безруки? И что такого ты увидел в моих ногах? Почему не отводишь взгляда от них?

Да, это правда, братья. Я действительно не мог отвести взгляда от прекрасных сильных ног девы-странницы. Ибо в разрезах одеяния они были видны высоко и почти бесстыдно. Я все время одергивал себя, уговаривая, что у разных народов разное понятие о дозволенности. Но эти прекрасные длинные ноги, грациозные руки, открытая шея все время сбивали мои мысли. Невольно я задумывался о том, какой же воительница становится тогда, когда полог ночи скрывает двоих от посторонних глаз, какие же ласки может подарить это сильное тело... Мысли эти были недостойны цели моего путешествия, но я был тогда молод и силен и потому боролся с бесстыдными мыслями и понимал глупость этой борьбы.

— Я смотрю на твои руки, Сигрид-странница, и думаю, как же тебе придется в полуночных морях? Не будешь ли ты мерзнуть так же, как мерз я, покидая город франков? — мне показалось, что я нашел достойный ответ на ее коварный вопрос.

— Увидишь, Синдбад, все увидишь... А быть может, увидишь и более, чем надеешься...

Бросив через плечо эти коварные слова, дева перешла на нос корабля.

Долго она всматривалась в даль, и Ульве-мудрец стоял рядом с ней.

— Пойдем вниз, Синдбад. Сейчас Ульве будет прокладывать путь к тем морям, что лежат у белых скал-путешественниц. Никогда еще, я уверена в этом, ты не видел подобного священнодействия.

— Ты ошибаешься, Сигрид. Говорю же, я бывал в разных морях и на разных островах. Видел, как ищут путь в морях разные капитаны.

— Пойдем. Не каждый день ученик седого Фенрира-охотника ищет дорогу в водах!

В каюте было тепло. Чадила масляная лампа. Ульве долго всматривался в рисунки, которые он называл картами, чертил какие-то линии. Утомленный непонятным бормотанием, я задремал. И мысли, которые я упрямо отгонял весь день, вновь заняли место в моей голове.

«Знает ли она мужскую ласку? Какова будет судьба того, кто протянет руку и коснется ее обнаженной кожи? Каковы на вкус ее губы?..»

Громоподобный хохот разбудил меня.

— Ты проспал самое интересное! — глаза Сигрид горели как у кошки. — Теперь мы знаем, куда плыть. И если Один будет милостив к нам, то доплывем туда очень быстро.

— Да пребудет с нами Аллах милостивый! — мне оставалось только согласиться.

Мерно шумело море. Поднялся на палубу Ульве, но выходить наверх мне не хотелось. И я спросил у девушки:

— Давно ты в море, странница?

— Пятую весну я путешествую по морям и ищу чудеса.

— А какие чудеса ты уже нашла?

— С Фенриром седым, учителем Ульве, я побывала в прекрасной неведомой стране, что зовется Винландом[7]. Там щедрые луга, теплые реки, огромные звери. Там дом многих моих соплеменников. Была я и на полудень от Винланда — туда мы добирались не морем, а по рекам. Жители тамошние краснокожи, отважны и бесстрашны. Они подарили нам множество камней самоцветных и серебра благородного, что ценят выше золота кровавого. Но дорогу туда нам не открыли — с завязанными глазами нас привезли в город с высокими каменными дворцами и чудовищами на стенах. И точно так же, с завязанными глазами, увезли на следующий день. Моего воина, который осмелился сорвать повязку, сразу ослепили. А потом еще живым бросили в какую-то глубокую яму. И мы слышали его крик, пока он летел вниз. Страх овладел всеми нами. И никто больше не осмеливался подсматривать. Так мы плыли по реке почти день и лишь к вечеру решились снять повязку. Рядом с нами не было никого из краснокожих жителей. Так по сей день мы и не знаем, где искать дорогу к городу, богатому серебром и каменными дворцами. А что видел ты, Синдбад?

Голос Сигрид звучал тихо и таинственно. Прекрасные глаза были так мечтательны, а лицо так желанно, что я больше не мог противиться.

— Я расскажу тебе все, прекрасная Сигрид. Но позже. А сейчас иди ко мне.

Я протянул руки и заключил ее в объятия. Дева прильнула ко мне всем телом и без страха ответила на поцелуй. Но я хотел не просто познать ее. Я хотел, чтобы она узнала меня, узнала и сокровенные мысли, что томили меня в этот миг. Я избавился от шелковой рубашки, обнял Сигрид и опустился вместе с ней на узкую корабельную койку. Неторопливо снял с нее одежды и залюбовался сильным телом прекрасной варварки. Груди казались полными чашами, а сильные ноги обещали долгие минуты блаженства. Она тяжело дышала. Я легонько погладил ее, и она застонала.

— Так хорошо?

— Очень хорошо, — пробормотала она в ответ.

Я погладил снова, на этот раз немного сильнее. Она в ответ потерлась о мою руку. Я повторил движение несколько раз. Затем я остановился и убрал руку. Она открыла глаза, чтобы узнать, почему я это сделал.

— Я хочу показать тебе, как доставить удовольствие мужчине. Ведь ты хочешь доставить мне удовольствие, Сигрид?

Я взял ее руку и положил на свою обнаженную грудь.

— Я очень хочу доставить тебе удовольствие, Мореход.

Ее взгляд прожег меня насквозь, а тонкие пальцы играли с волосками на моей груди. Я передвинул ее руку так, чтобы самой нежной частью груди почувствовать их.

— Нажми сильно, очень сильно.

Она сделала так, как я просил ее. Мое лицо исказилось, передавая силу нахлынувших ощущений. От них захватывало дух.

— О да, прекраснейшая!

Она усмехнулась и самыми кончиками пальцев провела от шеи до чресел. Я непроизвольно сжал зубы — такое невероятное ощущение пронзило меня.

— Ты быстро учишься. А теперь я сделаю то же самое тебе.

Я положил руки ей на грудь и стал ласкать их то сильно, то нежно, уделяя особое внимание неимоверно чувствительным соскам. Прошло несколько долгих чудесных минут, и я сказал:

— Я хочу поцеловать твою грудь, Сигрид. Ты позволишь?

— Да, я хочу, чтобы ты это сделал.

Как я и ожидал, ее соски стали почти вишневого цвета. Все еще стоя на коленях, я зарылся лицом в грудь и стал лизать ее. Я почувствовал ее руки в своих волосах и услышал, как она постанывает.

Сигрид слегка впивалась ногтями мне в кожу головы, ласкала пальцами волосы. Я еще сильнее прижался к ее телу, затем склонился к ее лицу и поцеловал в губы. Я ощутил аромат жасмина в ее дыхании, когда она ответила на мой поцелуй. Я отстранился, но только для того, чтобы посмотреть ей в глаза.

— Сигрид, ты хочешь доставить мне еще немного удовольствия? — спросил я, не переставая при этом ласкать ее.

— Я хочу доставить тебе удовольствие. Только скажи как.

— Ты можешь ласкать меня вот здесь.

Я взял ее руку и положил на свой возбужденный жезл страсти. Вместо ответа она погладила его, затем посмотрела мне прямо в глаза и умелыми движениями сняла с меня шаровары и взмокшую от пота рубаху. На этот раз уже я закрыл глаза, моля Аллаха, чтобы не излиться в ту же минуту, когда она дотронется до меня. Первое же прикосновение ее языка к возбужденной плоти заставило меня застонать.

Я остановил ее.

— Я хочу, чтобы ты крепко держала меня вот здесь. Это поможет мне продержаться дольше. А теперь делай это медленно. Я очень возбужден. Если ты перестараешься, тебе придется ждать, пока я смогу соединиться с тобой.

Она взяла мой жезл в руку нежно, будто держала птенца, затем лизнула его, как кошка, когда лакает молоко. Ощущение было таким сильным, что мне пришлось опереться на нее, чтобы восстановить равновесие. На какое-то мгновение она остановилась и подняла на меня глаза.

— А теперь, прекраснейшая, приблизься, чтобы я мог ласкать тебя, когда ты ласкаешь меня.

Я поднял ее на ноги и поцеловал, затем потерся о ее обнаженную плоть и поднял на руки. Она вскрикнула от удивления.

A08

Узкое корабельное ложе легко приняло ее тело, и я понял, что дальше буду ласкать ее медленно и нежно.

— Вот так, красавица.

Я слился с ее телом, вошел в такое жаркое и чувственное лоно. Но казалось, что именно этого она и жаждала. Во всяком случае, ее движения стали жадными. Глаза закрылись, а из-за стиснутых зубов вырвался стон.

Она совершенно раскрылась навстречу мне. Я пожалел лишь о том, что так и не успел ей рассказать, чего еще мне хочется. Ее стон был требовательным, он почти приказывал. И я более не мог сдержаться. Несколько резких движений глубоко внутри — и я почувствовал, как семя излилось в жаждущие глубины. Почти сразу после этого Сигрид застонала и упала рядом, шепча мое имя. Мои глаза наполнились слезами, но не от боли, а от сладости и силы ощущений.

Я проснулся один. На ложе стало печально и пусто. Но мною владели противоречивые чувства. Да, юная Сигрид была и хороша и умела. Она не боялась мужчины и дарила всю себя целиком, в ответ требуя того же.

Но мне вспомнились другие объятия, другие руки и другое тело — нежная и робкая моя Лейла в тот миг, когда первый раз я показал ей, что значит пылкая любовь мужчины.

Я не стыдился того, что произошло ночью, но думал о том, что же скажу своей мудрой и прекрасной жене, когда она начнет расспрашивать меня о моем путешествии за белой скалой из холода и ужаса.

Так ничего и не придумав, я решил, что время придет и я еще успею сочинить для нее добрую сказку, чтобы не расстраивать Лейлу.

Весь день я провел в размышлениях. Сигрид то появлялась подле меня, то исчезала наверху. Заставить же себя выбраться наверх под ледяной ветер я так и не смог. Лишь ближе к ночи, когда холод казался почти нестерпимым, я покинул ложе, облачился в шкуру и поднялся к своим спутникам. Те, казалось, не замечали кинжального холода. Но я-то мерз, да еще и как сильно. И потому сбежал в тепло корабля, как только это позволили мне приличия.

И в эту ночь прекрасная Сигрид была со мной. Точно так же как и в прошлую, она дарила мне свое тело и согревала пылкостью душу.

Так прошло еще три дня. Но когда наступило четвертое утро, я понял, что колесо моей судьбы сделало еще один поворот.

Распахнулась дверь. Ледяной холод ворвался в крошечную каюту и пригвоздил меня к ложу. Сигрид рассмеялась. И столько было в ее смехе удовольствия, столько неги и ласки, что я невольно приосанился.

— Вставай, Мореход! Слава Одину, ночью мы обогнули острова кельтские и сейчас уже плывем по великому Морю, что омывает лентой всю Землю. Где-то здесь, как рассказывал мне Фенрир, уже встречали белые скалы ужаса. Но Ульве хочет пойти чуть дальше на полночь — там, за дивным Зеленым островом, что лежит на полпути до Винланда, много раз видели белые скалы-путешественницы.

Я поспешно собрался, не забыв натянуть на себя ту самую теплую шкуру, без которой уже не мыслил выбираться из каюты.

Увиденное потрясло меня. Бесконечное пространство, полное живого холодного огня — сияния утреннего светила, — лежало у наших ног. Казалось, что кнорр скользит по полированному алмазу. И лишь опустив глаза на воду, я понял, что мы движемся, подгоняемые обжигающе-холодным ветром, и движемся очень быстро. В глубине вод виднелись смутные громадные тени. Я решил, что не сто́ит и спрашивать, что за чудовища живут в этих жестоких водах.

И вдруг... О Аллах милосердный, твои чудеса воистину велики и неисчерпаемы! Прямо перед кораблем из глубины с оглушительным звуком вынырнуло громадное сине-черное тело. Упав в воду, неведомое чудище выдохнуло так, как будто гром грянул у наших ног. Что это было за существо, я так и не узнал, хотя стоящая рядом Сигрид радостно кричала:

— Киты! Великаны морей! Смотри, Синдбад!

Я смотрел на это чудо во все глаза, но гигант исчез в глубинах, как будто не было его никогда.

Сигрид обернулась ко мне:

— Знаешь, а ты удивил меня, южанин Мореход. В тебе столько силы, столько страсти! И ты вовсе не мал ростом...

Мне оставалось только усмехнуться. Эта прекрасная женщина была ведь еще совсем юной девочкой. А мир вокруг себя она рассматривала, как драгоценности в собственном сундучке. И каждому, пусть даже самому маленькому чуду радовалась совсем как ребенок. Путь это чудо и было чудом телесной страсти.

Внезапно запел рог. Все на корабле повернулись и посмотрели вперед. Рядом ахнула Сигрид.

— Вот она, смотри! Вот это белая скала-странница!

И тут я ее увидел. Она была прекрасна. Она была восхитительна. Никакой самый изумительный драгоценный камень не мог сравниться с этой горой. Под холодным солнцем ее острые ребра сверкали всеми цветами радуги, а на белые грани было больно смотреть.

Слезы обожгли мне глаза, и я поспешно отвернулся. Несколько минут передо мной был лишь мрак, но потом зрение вернулось. Как завороженные смотрели спутники Ульве и Сигрид на это диво. А сам Ульве-мудрец усмехался их оторопи.

— Глупцы, чему вы удивляетесь? Ведь это просто огромная льдина! Сила богов оторвала ее от полуночных полей, что закрывают от живых вход в подземное царство, и отправила по Великому морю странствовать вслед за солнцем.

— И что? Пусть льдина! — Сигрид почти обиделась на мудреца. — Но она сияет подобно огромному алмазу, а красотой своей может затмить все, что видели не только мои юные глаза, но и твои постаревшие.

— Смотри, Синдбад. Вот то чудо, за которым ты охотился. Смотри и запоминай.

«Синдбад, вспомни о сосуде, что дал тебе в дорогу халиф. — Как всегда, голос визиря прозвучал прямо в моей голове. Меня это уже не пугало и не злило, но его появлению я все так же не радовался. — Вспомни о могущественном джинне. Только он поможет унести белую скалу!»

Вот и наступило время, чтобы по-настоящему испугать и изумить мою чудесную спутницу. Я был уверен, что подобного удовольствия ей не мог предложить ни один мужчина из живущих в подлунном мире.

— Скажи мне, Сигрид, ты хочешь прокатиться по воздуху?

— Ты шутишь, чужеземец? Или смеешься надо мной? Как же можно кататься по воздуху?!

— Тогда помолчи. У тебя есть немного времени, чтобы решить, хочешь ли ты сегодня удивиться еще сильнее или струсишь как маленькая?

Сигрид от негодования потеряла дар речи. Настал миг моего триумфа! Из складок своего просторного халата, что прятался, каюсь, под темной и толстой шкурой, достал я алебастровый кувшин. Был он не больше тех кувшинов, в которых на богатом багдадском базаре продают красавицам нежные притирания. Печать закрывала горлышко. Старая печать. Из тех, что служили некогда бесконечно мудрому Сулейману ибн Дауду (да будет мир с ними обоими!). Кинжалом я соскреб окаменевший воск и вытащил пробку.

Мне показалось, что кувшин наполнился свинцом, так он стал тяжел. Я уронил его на доски палубы. Дым становился все гуще, и внезапно из него показалась огромная красная рожа (да простит меня Аллах великий за такие слова!).

— Слушаю и повинуюсь.

Голос джинна был оглушающе громок, как будто великан говорит в бочку. Сигрид завизжала, а всегда спокойные северные великаны испуганно попятились.

— Это джинн, которого великий мудрец Сулейман ибн Дауд (мир с ними обоими!) заточил в кувшин. Джинн, дух огня, исполняет только три желания, а потом становится свободным.

— Истинно так, о Синдбад-повелитель. Три желания в твоей власти. Какой дворец я должен разрушить? Какое чудо совершить?

— Не торопись, о дух. Ни разрушать, ни создавать пока не надо. Последним желанием я прикажу тебе кое-что сделать с белой скалой, что высится неподалеку в холодных синих водах. Но сейчас мне бы хотелось сделать моим друзьям маленький подарок.

Я повернулся к Сигрид.

— Ну как, смелая Сигрид, хочешь прокатиться по воздуху?

Девушка смотрела на меня и даже не мигала.

Джинн гулко расхохотался.

— Что ж, повелитель, это гораздо лучше, чем разрушать или строить замки. Садись ко мне на ладонь и возьми девчонку за руку. Так и быть, я покатаю вас...

Ладонь джинна была огромна и горяча, как песок пустыни. Я сел, крепко обнял девушку, которая до сих пор не могла прийти в себя. И мы взлетели!

Ветер бил нам в лицо. Холод севера смешивался с жаром юга. Прямо под нашими ногами безбрежная

водяная гладь словно раскрылась — океан простирался от края и до края. И лишь белые скалы-странницы, которые показались вдали за первой, были нашими спутницами в этом головокружительном хороводе. Внезапно Сигрид пришла в себя. Она вцепилась мне в ладонь так сильно, что я почувствовал каждую косточку своей руки.

— Так это правда? Мы и в самом деле летим?

— Правда, красавица. Как и то, что я, джинн огня из кувшина Сулеймана ибн Дауда, вскоре стану свободным.

— Ну что ж, неси нас обратно на корабль. Боюсь, что прекрасной деве теперь впечатлений хватит надолго.

Я храбрился, но чувствовал себя словно малыш, которого в первый раз взяли на базар. Мне тоже внове было катание на ладони великана, которого некогда заточил повелитель всех магов. Боюсь, что мне тоже еще долго будет сниться чудовищная карусель, которую закрутил вокруг нас огненный джинн.

Лишь ощутив под ногами палубу, Сигрид пришла в себя.

— Это правда? Мы летали?

— Да, прекрасная путешественница, это правда. Чего ты еще желаешь?

Но девушка смотрела на меня со странным выражением лица. Я удивился, что ее глаза наполнились слезами.

— Я хочу одного: немедленно исчезай! Забирай эту скалу-странницу и исчезай! Мои силы на исходе!

Я недоуменно смотрел на нее, а девушка мышкой шмыгнула вниз, спрятавшись от меня и от мира.

— Не удивляйся, Синдбад. Для нашей красавицы слишком много чудес. А она привыкла к тому, что всем миром управляет только она. И только по ее желанию мир обращается к ней новыми сторонами. — Да, Ульве не зря носил свое прозвище. Это были слова очень мудрого и очень спокойного человека.

Вот так я напугал прекрасную дочь властителя северной страны. Сил с ней прощаться у меня не нашлось. Я чувствовал, что еще одного, даже самого крохотного чуда, она не выдержит. А еще нескольких минут рядом с ней не выдержу я. Не выдержу расставания и... останусь. Презрев долг перед женой, предав слово, что дал своему властителю. Предав собственную славу путешественника, который всегда возвращается победителем.

Я обернулся к джинну.

— Перед тем как ты отнесешь меня и эту белую скалу из ужаса и холода во дворец халифа, сделай вот что...

Если можно шептать на ухо исполину, то я так и сделал. Раскатистый хохот залил все вокруг. Радужной лентой метнулся джинн от корабля и обратно.

— Исполнено, повелитель. Теперь в Багдад?

— Да, дух огня. Теперь неси меня и белую скалу во дворец повелителя. Да постарайся поосторожнее — мы же не хотим разрушить ни город, ни сад, что раскинулся пред светлы очи властителя правоверных.

— Слушаю и повинуюсь, Синдбад!

Я стоял на ладони левой руки джинна, а правая подняла из воды чудовищную скалу. С громкими криками от нее стали удаляться птицы, что сидели на ее краю. По стенам заструилась вода. Скала была огромна! Лишь малая ее часть высилась из воды... Подсвеченная лучами солнца, скала стала полупрозрачной, как алебастровые сосуды, что стоят дороже золота и пришли к нам из тьмы веков.

И вот мы поплыли над водами и над сушей, над черными горами и над зелеными долинами. Боюсь, что моя душа, устав изумляться, не могла теперь испугаться чего бы то ни было в этом мире, да хранит его Аллах великий.

— Ты принес ей то, что я просил?

— Конечно, повелитель. Самые роскошные шелка, самые лучшие притирания, самые прекрасные украшения... Со всего мира. Да, и книги! Те книги, что ты назвал мне.

— Благодарю тебя, дух огня!

— А я благодарю тебя, Синдбад! Смотри, вот под нами Багдад!

Я опустил глаза. Увидел минареты, блеснуло зеркало пруда у дворца халифа. Скоро я увижусь с той, что стала мне дороже всех женщин мира, как бы прекрасны и манящи они ни были. Но все же я с удовольствием думал о Сигрид. Вернее, о том подарке, который оставил ей на память о себе. Не шелка, я знаю, не притирания и не драгоценности (хотя это радует любую женщину) станут напоминать ей об охоте за скалой-странницей и о той безумной ночи, когда она почувствовала жар юга, а я страсть севера. Книги... Книги всех стран... Свитки мудрости Востока и рукописные в тяжелой коже хранилища знаний Запада, написанные на каменных дощечках и на коре дерева, завязанные узелками и выбитые на листах меди... Знаю, когда-нибудь она прочтет их все. И поймет, что большего, чем пойманные знания, я не мог ей дать. И быть может, простит меня...

Я почувствовал под ногами траву дворцового сада.

— Прощай, Синдбад-Мореход! Спасибо за свободу! И будь осторожен.

Дух огня исчез. А мне навстречу семенил Абу Алам, довольно улыбаясь.

— Приветствую тебя, Мореход! Халиф, да хранит его свод небесный, прислал меня встретить тебя и поблагодарить за диковину, что стала украшением сокровищницы знаний нашего повелителя!

Я молча поклонился. Сказать мне было нечего. Визирь уверился, что я с честью выполнил повеление халифа. Я же торопился под свой кров. В то единственное место, где ждали не диковину и не чудесную сказку, а меня.

Я миновал знакомые улицы, казалось, в одно мгновенье. Вбежал в знакомый двор. У двери улыбалась прекрасная Лейла. Как всегда, она знала, что я появлюсь сегодня.

Почему-то мне вдруг стало тяжело и неудобно двигаться. Я недоуменно посмотрел на свои руки... Тяжелая толстая шкура полуночного зверя, что зовется медведем, сковывала, обжигая неистовым жаром...

Я сбросил ее и смог обнять жену. Теперь я был дома. И закончил свое третье путешествие!..

* * *

Синдбад-Мореход умолк. Затихли и струны уда, что во время рассказа перебирала рабыня у стены. В изумлении сидели гости. А Синдбад-ученик все скрипел пером, выводя последние завитки последних букв поучительного рассказа.

Вскоре остановился и он.

— Вот самое удивительное, что я пережил в этом странствии. А завтра, если захочет Аллах великий, вы придете ко мне, и я расскажу о четвертом путешествии: оно было еще удивительнее...

Так сказал Синдбад-Мореход уходящим гостям. После он дал сто мискалей золотом Синдбаду-ученику.

— Завтра я жду тебя, ученик. Да не забудь новый пергамент. Тебя ждет новая история.

Село солнце, закрылись двери гостеприимного дома Синдбада. В комнате за шелковыми занавесями зажегся огонек. И Синдбад-Мореход обрел на время желанный покой.

Макама четвертая

Наступило утро. Засияли небеса, проснулись птицы и люди. Начался новый день ученичества Синдбада-носильщика. Новый свиток пергамента был зажат в его руке. Новые чернила, чернее прошлых, купил он у лавочника в ранний час.

Совершив дневную молитву, пошел ученик к Синдбаду-Мореходу. Хозяин встретил его радостно, усадил на лучшие подушки и поднес лучшие яства. Собирались понемногу друзья Морехода. Вошла, звеня серебряными браслетами, прекрасная женщина и села в углу... Невиданной свободой веяло от ее движений. Заблестевшие радостью глаза Синдбада выдали, каково истинное место безмолвной красавицы в этом радостном доме.

Когда яства утолили голод, а вина — жажду, Синдбад начал свою речь.

— Знайте же, братья мои, что третье мое путешествие окончилось для меня радостью соединения с любимой. Моя жена — вот что было самым большим чудом в моей жизни. Она знала обо мне все. Знала, что я не смог пройти мимо юной северной красавицы, но сказала об этом так: «Я верю тебе, о мой муж и повелитель. Ибо ты есть часть моей души. Что хорошо для тебя, ты знаешь сам. А по-настоящему плохого ты не совершишь. Это известно мне». Ее губы прижались к моим в тот миг, когда я захотел возразить. И, сраженный этим, я умолк, вознеся великую благодарность Аллаху милосердному, что подарил мне, недостойному, такое счастье и такое чудо, как моя прекрасная Лейла.

Мы наслаждались друг другом не один день. Настала ночь полнолуния, когда жена подарила мне сына. И пришел миг, когда я прошептал своему малышу на ушко священное для каждого правоверного слово «бисмилля!». А вам, братья, предстоит послушать...

...Рассказ о четвертом путешествии

Полная луна сменилась стареющей, затем нарождающейся. Вновь пришло полнолуние. В этот вечер жена сказала мне:

— Завтра днем тебя призовет пред свои ясные очи халиф. На это раз ждет тебя путешествие долгое на восток подлунного мира. Но не тревожься. Ты вернешься и более мудрым, и более сильным. Твой сын будет ждать тебя. И я вместе с ним.

Так и случилось. Наутро у наших ворот раздались шаги, и звонкий мальчишеский голос закричал:

— Синдбада-Морехода призывает во дворец повелитель правоверных, да продлит Аллах без счета его счастливые годы!

Я поклонился мудрой Лейле, поцеловал бархатную щечку сына и с легкой душой отправился в тайные покои дворца, где, как я знал, любил размышлять владыка правоверных.

Ветерок шевелил шелка на окне, голос муэдзина пропел призыв к дневной молитве.

Вознеся свои мысли к Аллаху, я вошел и сел на край драгоценного ковра.

— Нас радует твое спокойствие, Синдбад, — проговорил халиф. — А вот нам самим все нет покоя. Дошло до нас, что в далеких восточных землях, во владениях магараджи Райджива, видели тигра, белого, как снега высоких вершин. Аллах этой ночью позволил нам узнать, что наше желание иметь такого диковинного зверя можешь выполнить только ты. Путь будет нелегким, а возвращение — нескорым. Сможешь ты доставить в наши покои это необыкновенное существо?

— Да, мой повелитель, — я поклонился новой прихоти своего господина. — Я привезу тебе этого диковинного зверя.

На пути к выходу из дворца меня нагнал визирь.

— Через два дня в страну магараджи Райджива отправляется караван. Присоединись к нему. Дары всесильному магарадже я пришлю вечером. Помни: индийского владыку не интересуют драгоценности, ему наскучило золото, его не пленяют юные девы. Только тайны могут заставить его радостно улыбнуться, только рассказы о необыкновенных приклю-

A08

чениях могут стать платой за то, чем он владеет.

Я молча поклонился визирю. Все было сказано. Оставалось только отправиться в путь. Ведь тогда я и начну спешить домой, а что может быть слаще предвкушения возвращения?

Мерным шагом двигался караван, день за днем отмеряя лиги до владений индийского раджи. Появились вдали и затерялись вдали стены великого Самарканда; пустыня заметала наши следы, пески сменились черными камнями, затем вместо них на горизонте выросли горы и зелень приветливых долин. Измученные запыленные верблюды перестали печально рассматривать собственные узловатые ноги и веселой рысью несли нас к цели путешествия.

Многоцветным ковром раскинулся наш лагерь в двух днях пути от дворца магараджи. Все, от проводника до самого нищего мальчишки на улицах, знали, что перешагнуть порог покоев владыки может лишь пеший, как бы богат и знатен он ни был. Я думал о том, какими словами мне просить магараджу. Что, если рассказы о белом тигре лишь болтовня лентяев на базарах?

Расспросы мои ни к чему не приводили. Проводник же каравана, иссушенный постом человек в белых одеждах и с метелкой в руках, мне прямо сказал:

— Не тревожь своего сердца, Мореход. Магараджа ответит на все вопросы. Наберись терпения и почаще молись. Или читай... Быть может, знания помогут тебе так же, как снисходительность богов.

Я внял совету старика и погрузился в ученые занятия. И только радовался, что на этот раз поручение халифа отправило меня в путь по суше, а не по морю. Быть может, так я смогу избегнуть и островов с великанами, и бурь, которые лишают меня товарищей, и превратностей судьбы, которые дарит нам Аллах всемилостивейший.

Истекли два дня. На закате пришло позволение магараджи войти в его сад, дабы смогли мы изложить просьбу его царственного брата — нашего халифа Гаруна-аль-Рашида, да хранит его небесный свод!

Мы вошли в сад владыки Райджива и оробели, увидев не длинные вереницы просителей и не роскошные беседки и пруды, а... школу. Пожалуй, только так я могу описать то, что предстало перед моим взором.

По опрятным дорожкам сада в окружении ребятишек бродили учителя. Один, как я понял, рассказывал ученикам о растениях, что окружали их. Вдалеке высокий старец рисовал палочкой на песке фигуры. Глаз мой в те годы был еще остер. Я понял, что старец сей преподает отрокам мудреную науку под названием геометрия, ибо на песке появлялись фигуры и буквы. Неподалеку совсем взрослые юноши читали друг другу стихи. И хотя слова чужого языка были нам непонятны, но причудливый ритм и вдохновенные лица были яснее любых слов.

Наш проводник, склонившись ко мне, сказал вполголоса:

— Видишь, Синдбад, не драгоценности, не золото, не юных дев ценит великий раджа, а лишь знания почитает он величайшими сокровищами мира.

Я молча поклонился. За спиной раздалось шуршание камешком по дорожке. Все стихло, даже птицы, казалось, прекратили пение.

Мы опустились на колени.

— Великий раджа!

— Встаньте, гости из далекой страны! Я приветствую тех, кто не побоялся суровой дороги, чтобы принести мне в дар новые знания. Тех, кому странствия не становятся обузой...

Мы поднялись, и я в первый раз взглянул на магараджу.

Удивлению моему не было предела: я рассчитывал увидеть перед собой убеленного сединами старца, мудрость которого пришла с годами. Но напротив меня стоял молодой, полный сил муж, обликом и силой напоминавший древнего воина. И только глаза, ясно-серые, холодные, трезвые, не похожие на темные очи жителей юга, выдавали его сухой и холодный разум.

— Расскажите мне, караванщики, о цели, что вела вас сюда из далекого и прекрасного Багдада...

Предводитель каравана начал свою повесть. Он разливался соловьем, описывая, какую выгоду сулит самому магарадже и всей его стране успешная торговля. Владыка кивал дружелюбно и искоса посматривал на нас. Постепенно его взгляд останавливался на мне все чаще. Магараджа заметно терял интерес к громкоголосому Ахмед-аге, человеку богатому и достойному, но более всего уважающему свой толстый кошелек.

— Я понял тебя, почтеннейший. У тех узорчатых дверей ждет тебя мой советник. Он самый изворотливый и успешный торговец моей страны. Иди к нему; вы быстро поймете друг друга.

Ахмет-ага, поднявшись, поспешил туда, куда указал магараджа. Действительно, у дальних резных дверей стоял человек тучный, с лицом, как две капли воды похожим на лицо почтеннейшего Ахмет-аги если не чертами, то выражением. Они казались родными братьями, и было ясно, что они поладят. Хотя, наверное, только после того как оба охрипнут от торгов.

За главным купцом потянулись и его приказчики. Это были люди, уважающие законы цифр и справедливость базара. Настоящие купцы и одновременно самые закаленные люди, которых мне довелось увидеть на суше.

— А ты, странник? Что привело сюда тебя? Ведь ты не купец? И не книгочей?

— Да, мой повелитель, я не купец. Хотя и книгочей. Зовут меня Синдбад-Мореход. А состою я на службе у повелителя правоверных, халифа Гаруна-аль-Рашида, да продлит без счета Аллах милосердный его годы! Халиф ценит меня за то, что я умею исполнять его прихоти. Ибо это и есть моя служба — приносить халифу чудеса и диковины, о которых ему шепчут ветры, что врываются в его покои, или поют птицы, что садятся на ветки деревьев дворцового сада...

— Приветствую тебя, путешественник. Скажи мне, а не о тебе ли мне рассказывали, когда говорили о чудом спасшемся жителе Багдада, что привез с острова

Повелительницы гигантов диковинно огромные камни?

— Да, это я.

Глаза магараджи стали намного теплее.

— Значит, это правда! И то, что существует такой остров, и то, что существуют драгоценные камни размером с голову ребенка...

— И даже бóльшие, повелитель! Я видел огромные скалы, сложенные из чистого изумруда. Вернее, скалы, что были огромными изумрудами. А рядом — валуны, что горели рубиновым красным огнем. Видел я и алмазные уступы, и яшмовые горы... Но видел и песок, в который под рукой неумолимого времени превращаются и чудовищно огромные, и самые невзрачные камни...

Магараджа согласно кивал.

— Да, Синдбад, я понимаю тебя. Нет более страшной и безжалостной силы, чем сила времени. Ее не удается перехитрить, ее невозможно остановить, и нет в мире ничего, что могло бы повернуть ее вспять...

Молчание не затянулось — магараджа был любопытен как мальчишка.

— А какие еще диковины оставили след в твоей душе?

— Совсем недавно, повелитель, видел я белую скалу, что высится посреди полуночного океана и сложена из холода и ужаса. Видел я и то, что в том океане таких скал много, что эти белые скалы странствуют по водам, повинуясь воле ветров и течений. А северные народы, что не боятся свирепых зимних ветров, иногда на своих кораблях, что зовут кноррами, даже устраивают на такие скалы настоящую охоту...

И я начал рассказ о том, как из далекого холодного города с островом посреди реки я отправился на охоту за такой скалой. Чем дольше я говорил, тем большим интересом светились глаза магараджи.

— Ты великий путешественник, — сказал он, когда я, запыхавшись, замолчал. — Да будет милостив к тебе твой бог, которого зовете вы Аллахом всемогущим. Сегодня вечером я приглашу тебя во дворец и попрошу продиктовать моим мудрецам свой поучительнейший рассказ, дабы еще одной правдивой историей в моей коллекции стало больше.

Я молча поклонился. Визирь мне говорил, что здесь исполняют просьбы только тех чужестранцев, которые смогут удивить или поразить, или хотя бы просто порадовать любознательного магараджу.

Время до вечера я посвятил размышлениям о том, почему такие любители знаний и диковин, как халиф Гарун-аль-Рашид или магараджа Райджив, более всего охочие до нового, сидят на месте. Ведь как бы ни были огромны их дворцы и роскошны покои, как бы ни были сговорчивы женщины и полны сокровищницы, но все это лишь золотые клетки, а владыки — пленники судьбы.

Наступил вечер. Я надел самые лучшие одежды и отправился во дворец.

Узнать приют мудрости и знаний было почти невозможно. Горели крохотные светильники у самой земли, и казалось, что живым огоньком дышит каждый цветок. Причудливые фонтаны пели разными голосами о далеких водопадах и бурных реках. Посреди сада, на поляне, уложенной поверх травы драгоценными хорасанскими коврами, сидели девушки. Их красота ослепляла и опьяняла. В их руках были музыкальные инструменты. Одеяния не могли спрятать чарующей прелести их форм. Ведь во владениях магараджи женщины не прятали лиц от нескромных взглядов, а тела — от жадного любования. Легкие шелковые ткани лишь подчеркивали каждую складочку и впадинку изумительных юных дев. Да, приют знаний превратился в обитель неги и роскоши.

С нескромностью навязчивого гостя из далекой страны я рассматривал музыкантш, что извлекали чарующие звуки.

— Здравствуй еще раз, Синдбад-знаток! — Голос магараджи раздался прямо у меня за спиной. Обернувшись, я увидел справа от него тех, к кому пришел. Высокие и невысокие, тучные и сухие, вокруг возвышения сидели мудрецы. Свитки и перья, чернильницы и кисти для красок, казалось, только и ожидали начала моего рассказа.

— Устраивайся поудобнее, путешественник, и повтори еще раз все то, о чем поведал мне днем. Я приказываю говорить тебе подробно, не скрывая ни своих мыслей, ни чувств.

И, набрав полную грудь воздуха, я опять изложил все, что успел увидеть и почувствовать в своих трех путешествиях.

Пустели чернильницы, тупились перья, истощался запас свитков, а я все говорил и говорил. Вечер превратился в полночь, а затем заровел горизонт, и только тогда я замолчал.

Истрепанными как их перья выглядели мудрецы. Но глаза их горели, как у котов, что предвкушают щедрое пиршество. Так оно, наверное, и было. Отдохнув, я надеялся, что они еще раз прочтут рассказ мой и, быть может, заспорят об услышанном.

Был доволен и магараджа.

— Сегодняшний вечер войдет в сокровищницу моей души. Я узнал о мире нечто новое. Но куда ценнее то, что я узнал нечто новое о людях, которые его населяют. Об их чувствах, мыслях и надеждах. Проси любой награды, Мореход, — она тобой честно заслужена.

— Благодарю тебя, повелитель, за столь лестные слова обо мне, недостойном. Единственная награда мною уже получена — это твои слова Но я передаю тебе то, о чем велел нижайше просить мой повелитель. Дошло до него, что в твоем зверинце живет тигр, белый, как высокие горные вершины и свирепый, как зимние ветра.

— Да, это правда, у меня есть такой зверь...

Мне не терпелось, и я перебил властелина. Быть может, если бы я этого не сделал, судьба моя сложилась по-другому. Не обратил я внимания и на странные искорки, что заплясали в глазах магараджи. Но языка я не удержал, и... Впрочем, не сто́ит торопиться.

— ...и ты просишь его для своего повелителя.

Я молча поклонился, соглашаясь.

— Хорошо, Мореход ты получишь желаемое. Но будет оплачено и твое усердие. Я сам прослежу за тем, чтобы драгоценная тигрица была собрана в дорогу со всеми надлежащими почестями. Следует также позаботиться и о еде для нее, и о клетке, которая бы не унизила прекрасное и гордое животное. Все это сделаю я сам. Тебе же предстоит приготовиться к тому, что в обратную дорогу придется отправиться уже завтра, ибо необходимо доставить зверя повелителю как можно быстрее. Подобное чудо... не терпит промедления.

И опять я не обратил внимания на странные слова и странный тон магараджи...

— Благодарю тебя, великий! Нет счастья большего, чем счастье понимания. Аллах всемогущий наградил меня в этот вечер тем, что ты понял меня и мои слова правильно. Мое путешествие — это мой долг, моя служба. Я не могу не выполнить повеления своего владыки. И потому твоя забота ценна для меня втройне.

Взошло солнце. Но я не любовался красотами. Толстое глухое покрывало сна накрыло меня с головой, и до заката я пребывал вдалеке от этого прекрасного мира.

Шум в нашем лагере возвестил, что все готово к обратной дороге. Я проснулся и, умывшись холодной и сладкой водой ручья, отправился осматривать и свою награду, и свой караван, отягощенный припасами для невиданного зверя.

Сначала я увидел клетки с птицей, нагруженные на верблюдов. Не менее тысячи кур и гусей теснились за толстыми прутьями. Крупный нар — почти совершенно седой одногорбый верблюд — был увенчан клеткой с царицей каравана — тигрицей. Зверь и в самом деле оказался совершенно белым, а черные широкие полоски придавали ему странный вид. Но самым странным, вернее, страшным, были глаза животного. Не желтые кошачьи, а серовато-голубые, как глаза магараджи. Холодные и оценивающие, бесконечно мудрые и бесстрастно-спокойные. Глаза, которых не должно было быть ни у одного живого существа под этим небом. Золотой ошейник, казалось, не оскорблял, а украшал шею пленницы. Теперь я понял, какую трудную задачу мне предстоит выполнить. Долгие дни пути с прекрасным созданием, которое надо беречь как зеницу ока... Но я взялся — и должен был это сделать. Силы мои укреплялись лишь сознанием того, что моя жена сказала мне перед отъездом: «Твой сын будет ждать тебя. И я вместе с ним». Значит, я должен был вернуться. Целым и невредимым.

И вот караван тронулся. Замолк птичий гомон, в клетке свернулась тигрица... И лишь меланхоличные верблюды без устали шагали по тому пути, который проделывали не один раз в своей жизни.

Двое суток мы пересекали владения магараджи. Потом равнины остались позади, а на горизонте нас ждали две великие реки — Тигр и Евфрат, которые некогда дали жизнь великому, но ушедшему ныне народу.

Наступило полнолуние. Ясная светлая ночь была тиха, степь, освещенная яркой луной, не имела границ... Вот тогда я и вспомнил улыбку магараджи...

Я размышлял о величии звезд над головой и об их всесилии, когда раздался металлический щелчок. В тишине спящего лагеря он прозвучал как гром. Странное оцепенение навалилось на меня. Нет, это было не оцепенение. Я мог и шевелиться, и разговаривать, и размышлять. Но мне *не хотелось* ничего делать... Не хотелось даже отводить глаз от бездонно-черного неба, утыканного светящимися иглами звезд.

A08

В полусне тяжело вздохнул верблюд. Еще один металлический щелчок и раздавшиеся звуки шагов убедили меня, что это не призрак звука. Кто-то вполне живой, и притом с недобрыми намерениями, идет по лагерю. Пора было поднимать тревогу.

С трудом я собрал силы, чтобы подняться. И в этот миг прохладные женские пальцы, пахнущие лавандой и мятой, накрыли мне губы.

— Не надо, не буди никого. Ночь принадлежит тайнам.

Тихий томный голос, ласковый и певучий, так завораживал, что я просто повернулся, чтобы рассмотреть его обладательницу. Передо мной стояла красавица, которой неоткуда было взяться в этих пустынным местах. Лицо ее светилось алебастровой белизной, черные брови выгнулись высокими дугами над прозрачными серо-голубыми глазами. Где-то я уже видел такие глаза... Быть может, это сестра магараджи, которую он тайком поместил в нашем караване? Но почему она появилась только сейчас, через два дня... И почему так странно одета моя таинственная гостья?

Да, не зря я все-таки был когда-то купцом. Не зря, ибо теперь хорошо разглядел одеяние и украшения незнакомки. Серебристо-белый шелк платья, туго перетянутого на талии черным поясом с золотыми монетами. Кофточка-чоли, излюбленное украшение многих женщин, что надевается под платье, тоже черна как ночь... Головная накидка снежно-белая, а серебряные обручи на ней — черненные. Черные кольца из неизвестного камня на длинных пальцах и серебряные браслеты с такими же камнями. Носки бархатных черных туфелек оканчиваются страшным загнутым когтем.

— Откуда ты? Кто ты?

Она хрипловато рассмеялась, но глаза ее не потеплели. Такой же снежный холод и нездешняя мудрость взглянули на меня из-под густых черных ресниц.

— Не бойся, Синдбад. Я та, кто приходит ночью и невидима днем. Я та, кого не рассмотришь вблизи... Но бояться меня не надо. Я появилась не в наказание, а скорее как награда. Ночь со мной дарует тебе и новый опыт, и новый мир, и такие воспоминания, которыми не многие смертные могут похвастаться.

— Так ты джинния?

— Ну что ты! Я же не дух огня — попробуй, мои руки холодны... Я не дух смерти — почувствуй, как горячо бьется мое сердце. Я не дух воды — мои щеки прохладны, но сухи.

Не пытайся сейчас понять, кто я. Даю слово, вскоре тебе откроется многое. А сейчас отдайся чувствам.

Ее руки обвили мою шею нежно и властно. Губы прижались к губам ласково и требовательно. Тело, что прижалось к моему, было жарким и изумительно совершенным. Такими не бывают обыкновенные женщины. Но она и не была обыкновенной. Перед тем как погрузиться в страсть, у меня только и хватило сил спросить, как же ее зовут.

— Называй меня Майя...

Майей жители страны магараджи называют призрак, который исчезает вдали, стоит лишь протянуть руку. Но моя Майя не исчезала. Ее губы были горячи, плечи нежны, а тело исполнено силы и жажды.

— Коснись меня, — сказала она, словно читая мои мысли.

Я протянул руку и заскользил пальцами по ее коже, такой гладкой и шелковистой, прохладной и жгучей одновременно. Все ощущения необычайно обострились, и все тело напряглось в предвкушении. Она ответила мне прикосновениями нежными, как касания перышка. Я страстно застонал, не в силах сдержать возбуждения, которое вызывали такие чудные ласки. Это подстегнуло ее, руки Майи скользнули по моим бедрам, и она крепко прижала меня к себе.

Не знаю, что со мной происходило, но эти жгучие касания, ее смелость и сила и то, как играла она моим вздыбившимся достоинством, просто оглушило. Всего несколько секунд — и я упаду в бездну страсти! Но этого мне не хотелось. Хотелось продлить сладостные мгновения как можно дольше. Я взял себя в руки, насколько это вообще было возможно, встал с ложа на колени и притянул ее к себе... Нескольких движений хватило, чтобы лишить ее одежд. И лишь обруч с головной накидкой она не позволила снять. Не вставая с колен, я повернул ее спиной к себе и легонько толкнул. Она вскрикнула от неожиданности, упав на живот. Но я был рядом и не позволил ей подняться, только откинул в сторону густую гриву волос. Сначала я покрыл поцелуями ее шею, а затем начал медленно целовать спину, двигаясь вниз вдоль позвоночника. Потом стал ласкать нежные изгибы ее бедер.

— Что ты делаешь? — спросила Майя, когда я, не удержавшись, игриво ее укусил. Хотя было заметно, что ей нравятся мои ласки.

— Не будь такой нетерпеливой, — шепнул я. — Я не сделаю тебе больно. Есть много способов приносить удовольствие друг другу.

Я гладил ее, то тут, то там касался кожи, пылающей от страсти. Теперь она вся принадлежала мне, я любовался изгибами ее изысканно-прекрасного тела и сам горел в огне вожделения. Затем я прижался к ней и, наклонившись, поцеловал ее шею, спину, сжал ее груди обеими руками. Она напряглась, почувствовав, что я вхожу в нее.

— Твое лоно горит жаром. Я не знаю, как долго смогу ласкать тебя.

— Я помогу тебе, просто отдайся чувствам.

Я скользнул сквозь ее нежные складки, вырвав из ее горла страстный стон, и почувствовал, что она расслабилась. Осторожно двигая бедрами, я полностью погрузил в нее свой жезл страсти. Внутри она была влажной и нестерпимо горячей, но я чувствовал, как она радуется нашему соединению. Мне было так хорошо с ней, что приходилось держать себя в руках, чтобы не излиться сразу же.

Охнув, Майя повела бедрами навстречу.

— Не надо, — простонав, смог попросить я. — Подожди, пока я немного остыну. Ты хоть понимаешь, как мне хорошо с тобой?

— Надеюсь, так же хорошо, как и мне с тобой.

Напрягая бедра, я начал двигаться, глубоко входя, двигался вперед-назад, все сильнее и сильнее. Кровь стремительно неслась по моим жилам, но я все продолжал, впившись пальцами в ее бедра, чтобы удерживать равновесие. Я чувствовал, что наслаждение уже близко, но сжал зубы и постарался контролировать себя.

— Синдбад, не сдерживайся...

Страсть распаляла ее все больше. Потом ее глаза расширились, тело напряглось, и она начала кричать, впившись острыми ногтями в мои ноги. Но боли я не ощутил — было лишь наслаждение, что соединило двоих. Я почувствовал всю силу ее страсти и излился вместе с ней, но продолжал двигаться до тех пор, пока чувствовал спазмы ее мышц. Когда она обессиленно упала передо мной, я лег рядом. Моя грудь тяжело вздымалась. Я пытался понять, хватит ли у меня сил еще на один вздох, но в этот момент Майя поднялась с кошмы, провела рукой по моей груди, и тут я почувствовал, что опять жажду ее тела. Словно не было ничего, словно это первое прикосновение, которым она одарила меня.

Майя пустила в ход и руки и губы, я извивался и стонал, пытаясь удержать ее и соединиться с ней, но она уворачивалась и этим возбуждала меня еще сильнее. И когда я уже был готов наброситься на нее, она опрокинула меня на спину и села верхом.

Ее глаза сияли от затаенного восторга.

— Теперь пришла моя очередь мучить тебя.

Я вздрогнул от нового приступа страсти, а она довольно улыбнулась. Опустив голову, она провела языком по моим губам. От неожиданности и опаляющего наслаждения я вскрикнул. Она стала медленно покрывать мое тело поцелуями.

— Ты не должна этого делать, прекраснейшая, — выдохнул я.

Она подняла голову.

— Но я этого хочу.

Она продолжала нежно ласкать мой жезл до того момента, когда я, не в силах более терпеть эту сладкую муку, притянул ее к себе и глубоко вошел в сочащееся влагой лоно. Майя задыхалась. Майя стонала. Майя отвечала страстью на каждое движение моего тела. И тут внезапно нарастающее возбуждение в ее теле распалось на тысячу ярких звезд мерцающей радости. Ее тело напряглось, когда я выкрикнул ее имя, а потом прекрасная закрыла глаза, чтобы насладиться моей страстью.

Майя откинулась на подушку за спиной. Глаза ее наконец потеплели.

— Не пытайся понять, что с тобой происходит. — Сама нежность говорила устами этой женщины. Никогда прежде я не встречал такой искусной соблазнительницы: ей хотелось подчиняться и подчинять ее себе, ей хотелось угождать и быть с ней требовательным. Но сейчас я мог только смотреть на нее — все силы до последней капли отдал я огню этой страсти.

— Но ответь мне, Майя, свет очей, кто же ты такая и откуда ты взялась...

— Завтра, когда взойдет солнце и караван тронется в путь, постарайся вспомнить все, что было с нами только что. А к концу пути, обещаю тебе, ты все поймешь.

— А ты? Где будешь ты?

— Ты будешь видеть меня каждый день...

— И каждую ночь? — Безумная надежда на то, что теперь эта женщина навсегда принадлежит мне, появилась в моей душе.

— О нет! — Майя посмеялась от души над моими мальчишескими желаниями. — Но я еще напомню о себе. Напомню тогда, когда ты все поймешь. Обещаю. А сейчас отдохни.

Сладкие как мед уста на миг прижались к моим губам. Прохладный свет серо-голубых глаз на миг обволок меня, а теплая ладонь коснулась лба.

— Спи, багадур...

Не в силах противиться, я погрузился с темный сон без сновидений.

★ ★ ★

— Проснись, Мореход, проснись! — Грубый голос совсем не походил на голос прекрасной Майи, а рука, что сильно трясла меня за плечо, ничем не напоминала лилейных рук прекрасной незнакомки.

— Что случилось? Почему ты трусишь меня, как мешок?

Лицо предводителя каравана прояснилось

— Слава Аллаху всемилостивейшему и милосердному! Ты был словно опоен зельем. Я уж подумал, не появились ли ночью на нашей тропе ученики Горного старца[8]. Но нигде не видно было чужих следов.

— Да просто я поздно заснул. Все думал...

Предводитель каравана окинул меня таким взглядом, каким, бывало, наказывала

A08

меня нянька, когда я совсем малышом пытался соврать ей...

— Откуда же у тебя на плечах эти страшные порезы? И почему ты еще и теперь выглядишь так, будто твоя душа только что вернулась в тело?

Наверное, на лице у меня, кроме изумления, не было других чувств.

— Мы отправляемся.

И караван тронулся в путь. Тревожные мысли не давали покоя. Кто такая Майя? Какие магические силы создали ее и куда забрали? Почему она не ответила ни на один вопрос, но сказала, что я буду видеть ее каждый день?

Вместе с неспешным шагом каравана пришла в порядок и моя душа, а привычные заботы отодвинули куда-то вглубь мысли, что не давали мне покоя. Навес над клеткой с тигрицей поблескивал на солнце. Драгоценный зверь спал в тени... Задние лапы, черные, со страшными когтями, подергивались во сне. Наверное, пленнице снилось, что она охотится...

День за днем мы приближались к владениям повелителя правоверных. Опять появились и пропали за горизонтом стены Самарканда — обители великого Улугбека[9], властелина и ученого. Прохлада степей сменилась жаром летнего солнца, а мы все шли и шли.

Вновь наступила ночь полнолуния. И опять я лежал, вытянувшись на кошме и опершись о полосатые шелковые подушки. Не скрою, что все время ждал того странного щелчка, что предшествовал появлению Майи. Но было тихо.

Быть может, оттого что все время думал об этом, быть может, оттого, что так решил всемилостивейший Аллах, но вдруг стали мне яснее многие слова прекрасной незнакомки. А когда я, устав лежать, потянулся и мои руки попали под лучи луны, увидел я то, от чего сердце замерло, а из уст вырвался вздох ужаса. Мои руки от кистей до локтей покрывали темные полосы! На их фоне кожа казалась совсем белой... Белой!.. Я поспешно поднес руки к глазам. Нет, показалось — никаких полос нет, это просто шествует по небу повелительница ночи, Луна. Не удержавшись, я еще раз вытянул вперед руки. И полосы, словно написанные туманом, появились снова...

Темные полосы на белой как снег коже... Белая тигрица страсти... Майя моей души... Это сделала она! В тот миг, когда ее острые ногти впились в мои ноги и она закричала...

Ужас поднял меня на ноги, ужас почти бегом погнал к клетке драгоценной пленницы.

На полу, расчерченном тенями Луны, лежала... Нет, это была не тигрица, раскинувшаяся в глубоком сне. В сладкой истоме разметалась прекрасная женщина.

Глаза обманывали меня. Разум отказывался понимать, что же я вижу... Полупризрачная женщина поднялась, сладко потянулась и плавным движением поправила снежно-белое головное покрывало...

— Да, Синдбад, это я. А ты смел! И силен. Не закричал, не убежал в ужасе.

Вы, конечно, понимаете, братья, что я не кричал только потому, что ужас сковал мое горло. И убежать я не мог — ноги словно приросли к земле.

— Не надо, не смотри на меня с таким страхом. Да, я Майя, белая тигрица страсти. И ты везешь меня в зверинец своего повелителя, халифа Гаруна-аль-Рашида. Свершилось то, что было предсказано...

— Но как же ты превратилась в зверя?

— Я превращаюсь в человека... Таково было желание моего отца, великого мага среди магов, всесильного и могущественного, одно имя которого убивало чудовищ, вредивших роду человеческому. Моей матерью была черная как смоль горная львица из страны, что лежит меж двух океанов. Отец и мать любили друг друга, их дети становились самыми сильными колдунами и защитниками людей. Но однажды моя мать проснулась в слезах. Во сне ей было предзнаменование, что ее покинет самая младшая из дочерей, которая должна будет охранять обитель правоверных, — город, лежащий в сердце знойной страны. Родители любили всех нас и не хотели отпускать от себя. А самой младшей дочерью была я.

Голос Майи завораживал. Мне казалось, что я уже не попираю ногами землю, а парю в небесах. То я чувствовал, что сплю, укутавшись от ночной прохлады в кошму, то понимал, что стою у клетки. То передо мной была белая тигрица, то прекрасная возлюбленная...

— И тогда отец решил успокоить мать. Он понимал, что с предначертанным бороться нельзя, что я действительно покину родной дом. И он превратил меня в белую тигрицу страсти. Меня нельзя поймать. Я появляюсь только там, где меня может приручить смелый или мудрый человек. Я становлюсь защитником этого человека и всего его народа. Но иногда, в полнолуние, отец дал мне позволение принимать облик женщины и дарить свою страсть тому, кто достоин ее более остальных. Мудрейшему из мудрых, храбрейшему из храбрых, достойнейшему из достойных...

— Я? Кто я? — голос совсем меня не слушался. Да и разум отказывался принимать слова этой чародейки.

— Да, ты не самый мудрый под этой луной, не самый храбрый. Но ты достоин моей страсти и защиты. Ибо ты верен долгу и слову. Ведь награда должна была достаться тебе, а ты с легкостью отказался от нее во имя исполнения слова, что дал своему владыке.

— И я больше никогда не увижу тебя?

Майя усмехнулась моему ужасу.

— Никогда. Я подарила тебе ночь и научила тому, что тебе еще понадобится в этой жизни много раз. Нет, я не имею в виду науку любви, хотя ты и тут оказался достойным учеником...

И я покраснел, отчетливо вспомнив то, что было между нами. Вспомнив то, что она мне позволила и на что я решился.

— Я подарила тебе и нечто более ценное. Со временем ты это почувствуешь. Но за науку приходится и чем-то расплачиваться. Теперь в полнолуние тебе лучше не показываться там, куда луна изливает свои прозрачные серебряные лучи...

Майя протянула руку и взяла мою ладонь.

— Смотри.

Бледные туманные полосы выступили у меня на коже.

— Теперь в твоей крови часть моей страсти и моей защиты. А это... — красавица нежно улыбнулась, — просто маленькое напоминание обо мне.

— Я никогда не забуду тебя!

— Не забудешь, верю. Но ты можешь перестать верить своим воспоминаниям. А мой знак всегда будет с тобой. Скоро мы достигнем Багдада. Тебе не стоит беспокоиться обо мне. Я останусь в зверинце халифа. Он сделает мою жизнь вполне приемлемой. Я стану защитой вашего прекрасного города. А когда халиф все же решит покинуть дворец, я исчезну.

— Покинуть? Исчезнешь?

— Да. Сейчас я тебе больше ничего сказать не могу. Мне дан дар предвидения. Но образы размыты. Они напоминают облака, что каждую минуту меняют очертания. Если заскучаешь обо мне, вспомни. Быть может, мой совет понадобится тебе больше, чем мое тело.

— Но я люблю тебя!

— Нет, смелый Синдбад. Ты увлечен мной. А любишь ты свою жену, прекрасную Лейлу, что стала матерью твоего первенца. Преподай ей то, чему научился от меня. Это еще крепче привяжет вас друг к другу. А теперь нам пора прощаться. Скоро появится солнце. Никто из твоих спутников не должен видеть моего второго лица.

Последний поцелуй, что подарила волшебница и дочь волшебников, помнится мне до сих пор. Горький от расставания и сладкий от нежности, теплый от вожделения и прохладный от прощания.

Белая тигрица страсти стала частью моей жизни и тайной моей души.

* * *

Мы увидели минареты прекраснейшего из городов незадолго до полудня. Предводитель каравана заметно успокоился — за всю дорогу от дворца магараджи и до обители правоверных он был натянут как струна. Но ни разбойники, ни хищные звери, ни даже страшные сны — никто и ничто нас не потревожило. Казалось, что мы возвращаемся домой по коврам, что заботливые руки уложили их вдоль всего нашего пути. И только я знал, что почти так и было — нас охраняла тигрица Майя, чье предназначение в этом мире — защита рода человеческого.

— Благодарю тебя, смелый Синдбад, — обратился ко мне караванщик, — за то удивительное путешествие, что мы совершили вместе. Никогда еще дорога от восточных стран не была такой легкой. А наши долгие беседы под луной и твои рассказы о чудесах мира скрасили вечера, которые обычно я проводил в тревожных раздумьях.

— Мне приятны эти слова. Но благодари за это все Аллаха милосердного, который свел нас вместе для этого путешествия.

И вот наконец показались ворота дворцового сада. За них мог ступить только тот, кого ждали в покоях халифа. Сильные нубийцы — охрана халифа — внесли на плечах клетку с драгоценным зверем. Прекрасная пленница несколько раз широко зевнула, показав ряд страшных клыков, и заворчала. Но мне все время слышался чуть хрипловатый, страстный, обволакивающий голос Майи из моих снов. Да, там и поселилась женщина, в которую превращалась белая тигрица.

Халиф был доволен. Вернее, счастлив. Нет, скажу так: халиф не верил своему счастью. Он ходил вокруг клетки, разглядывал драгоценный дар магараджи и не мог найти слов, чтобы выразить свой восторг. Улыбался и всеведущий визирь — в этом путешествии я ни разу не слышал его голоса, что пронзает любые дали. Но думаю, даже бесконечно мудрый Абу Алам не знал всей правды.

— Скажи мне, Синдбад, а она дикая? Ее обязательно держать в клетке?

— Не ведаю, мой повелитель. Но давай попробуем. За весь путь моя пленница ни разу не повела себя как дикое животное. Наверное, у магараджи были замечательные дрессировщики.

Я подошел к клетке и вполголоса сказал:

— Майя, тайна моего сердца, будь осторожна. Я сейчас открою клетку. Ведь даже свобода дворцового сада много лучше золоченых прутьев клетки.

Тигрица не мигая несколько мгновений смотрела на меня, а потом лизнула руку. Горячая волна воспоминаний накрыла меня. Так уже было. Ее нежный язык уже касался моего тела...

Я открыл замок и распахнул дверцу.

Медленным царственным шагом чудесная пленница покинула тесную обитель. Она вышла и, остановившись, стала осматриваться.

— Синдбад, а мне можно к ней подойти?

Сегодня халиф был похож на мальчишку Аладдина, сына башмачника с соседней улицы. Тот тоже всегда сначала спрашивает, прежде чем напроказить.

Я взял халифа за руку и (да хранит меня Аллах милосердный!) подвел его к тигрице. Та повела себя как котенок. Она боднула его и лобастой головой поддела его кисть.

— Повелитель, она просит, чтобы ты почесал ее...

Словно не слыша, халиф несколько раз робко провел рукой по голове своей пленницы. Басовитое урчание, раздавшееся в ответ, лучше любых слов показало, что тигрица признала нового повелителя. И я понял, что еще раз сдержал слово, данное властелину Багдада.

Я спешил домой, а душа у меня разрывалась на части. Впереди ждала та, что отдала мне всю себя. Позади осталась та, что стала тайной моего сердца. Впрочем, провидение выбора не оставило.

И чем ближе подходил я к дому, тем искреннее благодарил Аллаха и за встречу, которая больше никогда не повторится, и за то, что у меня есть дом, любимая женщина, ставшая матерью моего первенца.

Ворота были распахнуты. На пороге дома стояла прекрасная Лейла. Она улыбалась. На краткий миг показалось, что ее карие глаза вдруг приняли серо-голубой оттенок.

Но это был просто отблеск, упавший на лицо от синего покрывала, окутывавшего ее голову.

Из дома раздался плач. Наш сын призывал родителей. И в эту минуту я понял, что мое четвертое путешествие закончилось.

* * *

Синдбад-Мореход замолчал. В изумлении сидели гости, казалось, притих и фонтан в саду, который пел нежную песню весны. Синдбад-ученик прилежно водил пером, дописывая последние слова поучительного рассказа.

— Что ж, братья, если Аллаху будет угодно, завтра я расскажу вам о своем пятом путешествии. А сейчас да благословит Всемилостивейший дорогу к вашим домам!

Гости разошлись. Синдбад-Мореход приказал выдать Синдбаду-ученику сто мискалей золотом.

— Завтра, ученик, я жду тебя! Да не забудь чистый пергамент.

Шел домой Синдбад сухопутный и все время удивлялся тому, как Синдбад-Мореход находил в себе силы держать слово, данное повелителю. Удивлялся он и чудесам, которые творит Аллах великий для того, чтобы показать людям, насколько огромен и прекрасен мир.

Макама пятая

Пятый день ученичества Синдбада-носильщика начался дождем. А дождь в знойном Багдаде — благословение небес и радость для жителей. Влажный воздух напоен ароматами цветущих садов. Зной, на время покидающий город, оставляет о себе напоминание, превращая крошечные капли в семицветную радугу.

Вот под такой радугой и шел Синдбад-ученик к Синдбаду-Мореходу. Чернильницу наполняли самые черные чернила, а двойной запас перьев оттягивал карман халата.

Тучи разошлись, и Синдбад сухопутный вошел в ворота Синдбада-Морехода вместе с яркими лучами солнца.

— Приветствую тебя, ученик, в моем доме!

— Да хранит тебя Аллах милосердный! Да будет благословен дом, что дарует приют знаниям и мудрости!

Гости уже собрались. Синдбад-ученик с удобством расположился у окна. Слуги внесли подносы с едой и напитками. Яства источали дивные ароматы, а вина не были похожи на напитки прошлого дня. Насытившись, Синдбад-Мореход начал...

...Рассказ о пятом путешествии

Вернувшись из четвертого путешествия, я погрузился в наслаждение, которое может даровать родной дом и любимая жена. Дни сменялись днями, недели бежали быстрее минут, а месяцы вот-вот должны были собраться в год. И это был год такого счастья и спокойствия, что душа моя излечилась. Сны о морях и скалах, о страстях и потерях больше не тревожили. Теперь я, подобно всем отцам, беспокоился о том, как растет наш первенец. И всегда рядом была моя несравненная жена, светоч моего сердца и истинная хранительница спокойствия и радости.

Тот день был для меня особенным. Наш малыш сказал свои первые, пока еще малопонятные слова. Слезы застилали глаза. Я возблагодарил Аллаха всемилостивейшего за счастье, которое он подарил. И в этот же час прибежал скороход от халифа.

Моя жена выпрямилась, отдав сына няньке. Ее лицо на миг омрачилось.

— Поручение, которое собирается дать тебе халиф, непростое. Но удача будет сопутствовать тебе. Тебя ждут и потери. Впрочем, не тревожься о них. Ибо не все твои друзья окажутся друзьями, а враги — врагами. Можешь смело отправляться в путь. Мы с сыном будем ждать тебя.

* * *

Халиф как всегда встретил меня в своих тайных покоях. Сейчас он был один.

— Да хранит тебя небесный свод! Да будет благословен день, что дарует радость каждому правоверному.

Я замолчал, ибо видел: какая-то глубокая печаль владеет душой халифа, а пустые славословия только раздражают его. На некоторое время в покоях повисла тишина.

— Знай же, Синдбад, что дошли до нашего величества странные рассказы. Но прежде скажи нам, что слаще всего в этом мире.

— Этот вопрос задавала моя бабушка. Было мне тогда года четыре, и больше всего на свете я любил вяленые финики. И потому сказал: финики. Но бабушка рассердилась и рассмеялась одновременно. «Помни, Синдбад, слаще всего в этом мире познание нового»!

Так ответил я халифу, про себя, однако, удивившись вопросу. Разве не владеет наш халиф всеми сладчайшими дарами, что доступны живущему? Ведь у Гаруна-аль-Рашида, да хранит его небесный свод, есть и власть и золото. Его желания, самые прихотливые и странные, всегда исполняются в мгновение ока. О чем же так печалится наш повелитель? О чем его тяжкие мысли в такой солнечный день?

И словно отвечая на мой незаданный вопрос, повелитель задумчиво проговорил:

— Да, есть у нас и золото и власть, есть и наложницы и жены. Сокровищница наша так же велика, как и тайник с диковинами. Но нам все же кажется, что это все лежит мертвым грузом. Ибо даже диковинами не можем наслаждаться мы в полную силу, не понимая глубинной сути и природы их удивительных свойств.

— Мой повелитель, я тебе уже говорил, что не обретение чуда, которое преподносят тебе, а лишь погоня за знанием достойны всесильного повелителя правоверных.

Удивляясь странным вопросам Гаруна-аль-Рашида, я не заметил, как в тайных покоях появился визирь. Сегодня его голос звучал как-то необыкновенно резко и смело. Потом всесильный Абу Алам повернулся ко мне.

— Здравствуй в этот час, отважный Синдбад-Мореход. Дошло до меня, что сегодня твой сын сказал первые слова.

— Да, всесильный визирь, это так.

— Да будет благословен Аллах милосердный, дарующим счастье нам и нашим детям!

Мне оставалось только поклониться в знак благодарности.

Легкий порыв ветерка всколыхнул шелковые занавеси на окне, и, словно разбуженный свежим дуновением, заговорил наш повелитель.

— Что ж, визирь, погоня за знаниями... Да будет так! Вот наше повеление тебе, Синдбад-Мореход!

И о чудо! Наш повелитель встал и начал легким шагом прохаживаться по длинной затененной комнате. Я знал, что халиф не стар. Знал, что лишь заботы о благоденствии подданных наложили на его лицо морщины и седину на виски. Но сейчас увидел, что это молодой мужчина одного со мной возраста. (А надо вам сказать, братья мои, что в ту пору, о которой я веду рассказ, мне едва исполнилось тридцать пять лет.) Что же заставляло томиться его во дворце, словно льва в клетке? Какие силы удерживали его от странствий по миру? Задав себе эти вопросы, еще не знал я, что ответ получу на них много позже, когда пройдет не один год...

— Знай же, Синдбад, что нубийские купцы, которые привозят деревья и благовония из страны Пунт[10], рассказали нашему величеству о небывалом чуде. На южном берегу великого Серединного моря, там, где полноводная река страны фараонов, называемая Нилом, сливается с морскими водами, стоял некогда маяк невиданной высоты. А в городе у его подножия, в каменном здании, прекрасном как храм, хранились свитки. Здание это называлось библиотекой. Все знания мира, все книги, самые редкие и самые древние, все чудеса мудрости и заблуждения гениев, лежали на каменных полках в деревянных футлярах. Священные животные древней страны фараонов, кошки, недреманной стражей охраняли святилище мудрости от нашествия мышей и крыс. А берегли эту сокровищницу знаний мудрейшие из мудрых, достойнейшие из достойных.

Мой повелитель говорил в полный голос, чего не бывало на моей памяти ни разу. Значит, вот какая мне предстоит задача — привезти эти свитки своему халифу! Но следующие слова привели меня в ужас и недоумение. Чего же хотел от меня повелитель правоверных?

— Но тысячу лет назад, как рассказывают, страшная гроза разразилась над прекрасным городом. И Александрия запылала, как гигантский костер. Дома превращались в кучи серого пепла, гибли целые кварталы. Не пощадил безжалостный огонь и библиотеку. Сгорели изумительной красоты деревянные двери в четыре человеческих роста, сгорели и залы, где любой книгочей мог найти для себя нужную книгу. Рассказывают, что о грядущем пожаре стало известно магу и хранителю библиотеки, которого эллины называли Эратосфеном. Тайными ходами, как говорят, в бесконечную и страшную ночь перед грозой вынес он свитки и футляры из здания и спрятал в лабиринте, что назывался Серапеум[11], — то были тайники храма, посвященного Апису[12], священному быку.

Значит ли это, что теперь мне придется отправиться в тот храм-лабиринт, чтобы привезти свитки? Но оказалось, что халиф еще не закончил своей истории. Я сидел молча, все более погружаясь в мрачные мысли. Сколько же спутников с собой звать? Какими припасами отяготить корабли, которые повезут нас к южным берегам великого Серединного моря? Насколько долгим будет наш путь, если позволит свершиться ему Аллах всесильный, который ведает жизнями правоверных от рождения и до смерти...

Между тем халиф продолжил:

— Рассказывали нам также купцы-нубийцы, что на самом деле в храм-лабиринт попали лишь деревянные футляры. А сами свитки в футлярах каменных, неподвластных времени, мудрый Эратосфен спрятал в коридорах каменоломен, откуда брали камень для строительства города эллинов и чудо-маяка. Ходят легенды, что эти свитки лежат там и до сего дня. Охраняют их, как говорят, не духи огня, джинны, не духи древних богов, а страшные змеи — хранительницы мудрости. Рассказывают также, что вход в те каменоломни может найти лишь странник, чистый сердцем и разумом. Человек, которого не влечет нажива, который ищет лишь знаний и не стремится к богатству. Мы знаем, что ты таков, Синдбад. Знаем мы и то, что ты вовсе не беден. Знаем, что наша благодарность за те странствия, что совершил ты по нашему пожеланию, считаешь ты наградой более чем щедрой. Знаем, что тебя не влечет кровавый блеск золота, а более по вкусу радость жизни и семейное счастье. И потому только тебе, Мореход, можем поручить мы поиск этих спрятанных свитков.

— Слушаю и повинуюсь, о повелитель.

— Корабль для путешествия через великое Серединное море будет ждать тебя на царской пристани в Басре. Мы распорядились об этом, и быстроногие скороходы уже унесли наше веление в этот достойный город. Собирайся в дорогу и ты.

Поклонившись, я покинул дворец, но вскоре услышал за собой торопливые шаги и, оглянувшись, встретился взглядом с визирем.

— Ты не боишься нового путешествия, Мореход?

— Сейчас я еще не знаю, надо ли мне его бояться. Заботы сильнее страха. Мне надо найти спутников, верных и отважных, снарядить караван в Басру, не забыв ни одной из тех мелочей, которые окажутся необходимыми в дороге, полной неизвестности.

— Что ж, это хорошо. Заботы много лучше страха. Отправляйся в путь, Мореход. Знай, что я буду мыс-

A08

ленно с тобой и ты сможешь в любую секунду попросить у меня совета. Однако помни: пока ты ходишь по стране фараонов, мы еще можем говорить друг с другом. Но как только ты ступишь в коридоры каменоломен, ты будешь укрыт от взоров всех богов мира — такова древняя магия земли Кемет[13], что лежит на юг от великого Серединного моря.

* * *

Заботы, как я и предполагал, настолько заполнили все мое время, что об этих словах визиря я вспомнил уже в море, вдали от многолюдного и шумного порта великого города Басры.

Опустился вечер, сгущались сумерки. Море было спокойно, легкий ветерок толкал корму нашего корабля. Я зажег масляную лампу и взял в руки перо. Надо было собраться с мыслями и наконец записать все то, что я уже знал о древней земле Кемет и о том, какую ношу взвалил мне на плечи любознательный халиф. Моя мудрая жена, узнав, что́ теперь пожелал иметь в своей сокровищнице повелитель правоверных, лишь покачала головой.

— Это нелегкая задача. И мои советы, боюсь, тебе не помогут. Я знаю лавочника, который хвалился тем, что у него есть любые сведения о разных городах и странах. Пожалуй, это единственное, чем я смогу помочь тебе в твоем трудном деле.

— Самая большая помощь — это забота обо мне. Ждите меня вместе с малышом Камалем и уповайте на всесильного Аллаха.

И вот теперь в маленькой каютке, освещенной лишь одной лампой, читал я разные истории, которые рассказывали о странах, куда мне предстоит попасть. Повести эти были противоречивы, и вскоре я понял, что толком ни один из создателей этого занимательного чтива ничего не знал. Все авторы, похоже, пользовались пересказами досужих кумушек или слухами, которыми полнятся темные закоулки больших портовых городов.

«Значит, — подумал я, — вскоре мне придется, не пользуясь чьими-то советами, все решать самому».

Одно утешало меня — в этом странствии я был не одинок. Фарух, сын Мариам-кушачницы, отважный мой друг, сделал мне великую милость и присоединился в этом опасном путешествии. Были с нами и приятели Фаруха — их он называл своей «гвардией». Странное слово, которое мой друг очень любил повторять, утверждая при этом, что его часто произносят ромеи[14], упоминая о стражах...

Почти всю дорогу по великому Серединному морю нам сопутствовала удача. Ни пираты — морские разбойники, ни бури нас не нашли. По словам капитана, завтра мы должны были бросить якорь уже у древних стен города богоподобного Искандера Двурогого[15], что завоевал земли от края и до края... Говорили, что он умер там, где я уже бывал, — в стране магараджи Райджива. Но я не верил. Такой легендарный герой, наверное, не умер, или, быть может, никогда и не рождался, ибо одному человеку не под силу совершить то невероятное число подвигов, о которых рассказывают бесконечные легенды.

— Завтра начнется наше странствие по земле Кемет.

Все мысли Фаруха были уже там, на берегу. Он, словно варвар-берсерк, рвался вперед.

— Да, мой друг. Но в этом путешествии нам более всего нужна будет не смелость, а мудрость. Ибо не чудовище мы должны победить, навсегда освободив от него подлунный мир.

— Значит, мы будем мудры и осмотрительны. Иногда для этого нужно не меньше смелости, чем для горячей битвы.

Моему другу нельзя было отказать и в рассудительности. Что ж, значит, не только меня годы делают мудрым и хладнокровным.

Итак, мы сошли на древнюю землю Кемет. Вдали виднелись развалины легендарного маяка. Крики верблюдов, людской гомон и запахи огромного порта наполняли воздух. От отчаянной сутолоки рябило в глазах. Любой мог бы растеряться в этом странном месте. Но только не мой друг Фарух. Мы едва сошли на берег и решали, где будем искать приюта на ночь, но тут уже появилось довольное лицо сына Мариам-кушачницы.

— Я нашел отличный дом. Там нас ждут гостеприимные хозяева, отличная кухня и сговорчивые рабыни.

Спутники Фаруха рассмеялись в голос и начали хлопать его по спине. Я же был попрежнему озабочен. Слишком уж гладким было начало нашего приключения. Будто это и не путь в неведомое, а обычное странствие по Великому шелковому пути.

— Нас хранит Аллах...

— Нет, Фарух, нас манит к себе какая-то иная сила. Я чувствую, будто за мной все время следят. Злые глаза считают каждый наш шаг. В любой момент мы можем недосчитаться любого из нас.

— Ты опять осторожничаешь, Синдбад. Как мальчишка! Помнишь, как в детстве...

Моего друга нельзя было остановить. И тут я понял, что древняя магия страны Кемет гораздо сильнее, чем считали знающие люди.

«Что мне делать, всесильный визирь? Мою команду словно развеселил ярмарочный шут. Они не слышат меня, не слышат и друг друга. Я опасаюсь, что тот дом, где нашел приют Фарух, окажется огромной западней!»

«Боюсь, Синдбад, что твои опасения справедливы. Даже слова твои доносятся до меня будто через вату... Когда я начинаю вспоминать ваши лица, то вижу лишь огромное черное облако, что поглотило и вас, и ваш корабль. Тут бессильны мои знания, бессильна и светлая магия... Я не знаю, что делать. Но думаю, что вам надо прикинуться слепцами и глупцами. Отправляйтесь туда, куда вас приведет Фарух. Враг себя непременно выдаст...»

И голос визиря пропал, будто и не было на земле такого человека.

Шум порта оглушал. Я обернулся к своим спутникам и сказал:

— Веди, Фарух. Да оставь одного из своих людей, чтобы проследил за нашими баулами. Их будут нести верблюды, они не воры. А вот за погонщиками не грех и приглядеть.

И мы отправились по шумной узкой улочке прочь от порта и моря. В лицо дул горячий ветер. Вскоре исчезли дома богачей и потянулись кварталы победнее. Каждый наш шаг убеждал, что мы, словно бараны, идем прямиком на бойню. Но я молчал.

Наконец мы остановились. Глухой дувал — глинобитный забор — отделял дом от улицы. За воротами было тихо. Фарух постучал три раза, потом стукнул один, потом еще три. Ворота сами собой распахнулись, и мы вошли. Вокруг был сад, но по-прежнему не появилось ни души.

— Эй, Фарух, а где же сговорчивые рабыни? Куда ты привел нас, презренный сын шакала?

— Помолчи, Ильяс, я и сам ничего не понимаю. Здесь нас должен был ждать хозяин. Он родом из Багдада, я знал его еще в те дни, когда мы оба собирались учиться на богословов... А теперь здесь пусто.

Мы недоуменно разбрелись по саду. Двери в дом были открыты, распахнутыми оказались и двери на женскую половину. И нигде ни души... Исчезли все, даже птички из клетки.

Внезапно на сад опустилась огромная тень. Я поднял глаза, но не увидел ничего. Не просто темное небо было вверху. Над нами висела черная туча, в которой билось нечто огромное, живое, страшное... Черные молнии били из края в край тучи. Ужас обуял меня. Как каменные стояли и мои спутники.

— Кто ты и что делаешь на черной земле Кемет? — прозвучал голос одновременно со всех сторон.

— Я Синдбад-Мореход и появился здесь, дабы исполнить волю повелителя правоверных, халифа Гарун-аль-Рашида, да продлит Аллах без счета годы его мудрости! А кто ты?

— Меня призвал на службу повелитель магов, великий Сулейман ибн Дауд (мир с ними обоими!) Я храню этот дом от врагов и открываю его для друзей... Синдбад-Мореход, не ты ли освободил моего брата джинна Ас-Сардара?

— Да, я освободил какого-то джинна. Он помог мне исполнить повеление халифа...

— Я знаю об этом. Вы поймали гору, состоящую из холода и ужаса, которую через сотни лет люди назовут айсбергом. Это ты! Как я рад!

Голос просто гремел. И в нем уже не было угрозы. Только звонкая радость.

— Да кто ты?! И где хозяева этого дома, которые обещали нам приют?

— Я джинн Ас-Сархат. Я храню этот дом и его обитателей, ибо таков мой долг. Я джинн свободный и обязан хозяину этого дома не только свободой, но и самой жизнью. Если бы не его внимание, кувшин, где я был заточен, бросили бы в плавильную печь. Даже духи огня не выдерживают жара, из которого рождаются дамасские клинки... Сейчас вы увидите хозяев дома. Но если тебе будет нужен мой совет или моя помощь, хлопни в ладоши так, как стучал в дверь: три раза, раз, а потом еще три. И я появлюсь.

Подул ветерок, прояснилось небо. И нам навстречу как ни в чем не бывало появился хозяин дома. И мне припомнилось это лицо. Багдадец по рождению, до-

стойнейший Фархад происходил из знатного рода. Родители мечтали, чтобы он стал богословом, степенным человеком. Но Фархад был так непоседлив и так любопытен, что стал сначала купцом, потом странствовал просто для того, чтобы увидеть мир... А теперь, выходит, осел в городе Искандера.

— Почтенный Фарух, почтенный Синдбад и вы, друзья моих друзей! Войдите же под мой кров, и да будет благословен тот день, когда появились вы на берегах черной земли Кемет!

Вполголоса Фарух спросил у меня:

— Ты заметил, откуда он появился?

Я отрицательно покачал головой.

— Да, и я не заметил. А ведь меня всегда считали самым зорким. И даже в ромейской але я был первым разведчиком. Неспроста все это...

Мой друг Фарух казался всерьез озабоченным. И я мог этому только порадоваться: то удивительное дело, которое ждало нас впереди, требовало настороженности, а не расслабленности.

Мы вошли в дом. Сладко пахло благовониями, суетились рабы. Дверь на женскую половину была плотно затворена, а в клетке пела канарейка... Да-а, необычный дом.

— Что привело вас в город Искандера Двурогого, да хранится память о нем в веках?

— Мы отправились в путь по желанию нашего халифа, да хранит его небесный свод...

Неизвестно, чего в лице Фархада было больше — любопытства или озабоченности. Я рассказал о поручении халифа, впрочем, кое-что скрыв от нашего хозяина. Не из недоверия — просто выражение его лица меня почему-то заставило сдержаться.

Смеркалось. Покои, которые отвели нам, были уютны и роскошны. Наши баулы появились в назначенный час. А погонщики, опасливо косясь на хозяина дома, не взяли даже половины предложенной платы.

Неужели мы действительно попали в ловушку? И я решил потолковать с джинном — ведь не у самого же хозяина спрашивать о том, почему его так боятся погонщики! Я вышел на задний двор и хлопнул в ладоши: три раза, раз и еще три. Почти сразу рядом со мной послышался голос:

— Слушаю тебя, Мореход.

— Скажи мне, почтенный Ас-Сархат, кто наш хозяин, почему его опасаются погонщики верблюдов? Почему такой глухой и высокий дувал окружает его дом? И почему ты охраняешь его покой и прячешь от глаз?

— О Мореход, хозяин — человек непростой. Ты и сам приближен ко многим тайнам багдадского халифа, и потому тебе могу я раскрыть секрет. Почтенный Фархад перепробовал множество ремесел, изучил языки, служил в ромейском войске и в войске полуночного конунга, уже готовился уйти в медресе, дабы познать истинную веру. Но тут его призвал на службу ваш халиф, и теперь у тайного стола в земле Кемет весьма достойный глава.

— Так Фархад — лазутчик???

— Ты прав.

Я был озадачен. Конечно, теперь, когда Фархад знал, с каким поручением мы появились на древней земле, он смог бы нам помочь. Но ведь мог и помешать... Скрыть какие-то знания, которыми обладает...

— Что тревожит тебя, Синдбад? Почему ты так печален и озабочен?

Но ведь кому-то мне надо было довериться, у кого-то просить помощи!.. Но кто поможет больше — лазутчик или джинн? Как ни странно, я решил довериться духу, ибо людская природа непонятна. А на слово духов огня, я уже знал, положиться можно. И я рассказал, уже ничего не утаивая, с каким непростым поручением появились мы на берегах Серединного моря.

Джинн расхохотался:

— Да, ваш халиф знает, за чем гонится! Свитки этой библиотеки ищут почти тысячу лет! И уже почти тысячу лет мы, духи, смеемся над ничтожной суетой людишек...

— Смеетесь? Почему?

— Да потому что нам эта тайна известна с первого дня — именно мы, духи огня, построили пылающую стену, чтобы скрыть то, как духи воздуха будут переносить хранилище знаний в подземелье! Люди посчитали это чудовищным пожаром. Ведь великий ученый Эратосфен, которого почитают магом, увидев, куда катится людская природа и как низко может пасть завоеватель, решил просить защиты у духов, джиннов и ифритов. Он отдал свою душу, но спас бесценные знания невероятной силы.

— И что же мне теперь делать? Ведь я дал халифу слово, что найду вход в подземелье, найду свитки и привезу их в Багдад. Я знаю, что раздобыть их сможет лишь тот, кто не стремится к наживе. И я знаю, что мой халиф к ней не стремится. Его душа ищет какой-то секрет. Но какой, не знает даже его всесильный визирь...

— Я помогу тебе, Синдбад. Охраняет вход в каменоломни наша сестра — дух земли, что иногда зовете вы Каменной девой.

И джинн огненной лентой промелькнул у меня над головой. Я стоял посреди двора и удивлялся, что ни наш разговор, ни громоподобный хохот никто не услышал. Удивлялся и тому, что дух огня поверил мне... Не кроется ли здесь еще одна ловушка? Но сделанного не воротишь...

Я вздохнул, пытаясь успокоиться, и вернулся к своим товарищам. Все уже спали. Лишь Фарух ждал меня. По выражению его лица я понял, что он озабочен.

— Что случилось, Фарух?

— Меня пугает радушие нашего хозяина. Он настолько любезен, так предупредителен и так... суетлив. Боюсь, нас ждет большая беда.

— Вероятно, ты прав. Знай же, почтенный Фархад, что твой друг — глава тайного стола, и все лазутчики нашего повелителя до последнего подчиняются ему.

— А мне мой старый друг не сказал об этом ни слова. Что же нам теперь делать?

— Нам взялся помочь джинн Ас-Сархат. Ему известен и секрет утерянной библиотеки, и то, как туда попасть. Но похоже, это придется делать мне самому, чтобы не привлекать внимания нашего любезного хозяина...

— Наверное, ты прав. Думаю, мы с тобой будем совершать прогулки по недалеким окрестностям, чтобы он видел, что мы все же исполняем поручение халифа. А потом, если всемилостивейший Аллах позволит нам найти библиотеку, мы постараемся улизнуть, чтобы хозяин думал, что мы потерпели поражение...

— Хорошо, так и поступим...

Эта ночь была первой с начала странствия, когда я спал спокойно. Враги наконец стали врагами, а друзья — друзьями.

Утро было солнечным. Несмотря на ранний час, зной лился с небес, отнимая последние силы. Исполняя свой план, мы вдвоем в Фарухом вышли. Хозяин подробно описал нам дорогу к каменоломням, и мы отправились именно туда, куда он указал.

Когда не стало видно ни ворот, ни забора-дувала, я хлопнул в ладоши: три раза, раз и еще три.

— Я рядом с тобой, Синдбад. Каменная дева будет ждать вас сегодня на закате; она пропустит вас в глубину горы и покажет путь к тайне. Дальше уже тебе придется полагаться на себя и своего друга. Но куда вы держите путь сейчас?

— К каменоломням. Туда, куда нам показал путь Фархад достойный.

Джинн рассмеялся.

— Ах, хозяин, ах, хитрый лис! Никому и никогда не верит. Что ж, пусть он думает, что обманул вас.

— Ты покажешь нам верную дорогу?

— Я нарисую вам ее — ведь я поклялся не говорить никому о дороге к сокровищам. Но не клялся, что не буду ее *описывать*...

— Ты хитер не менее Фархада.

И джинн в ответ лишь довольно расхохотался.

Наступил вечер. Мы были готовы отправиться в путь. Гостеприимный хозяин решил не спускать с нас глаз и устроил целый пир с прекрасными нубийскими танцовщицами. Возле моего уха раздался шепот джинна:

— Я скрою ваш уход от хозяина. Он не заметит ничего. Но уйти сможете лишь вы вдвоем с другом. Остальным придется остаться. В нужный час я подниму и их. Если, конечно, Каменная дева и всемилостивейший Аллах будут милосердны и позволят найти дорогу обратно.

Последние слова насторожили меня, но сделать я ничего не мог. Озабоченный, ждал я мига, когда смогу наконец исполнить волю повелителя.

Наши шаги в ночи были тихи. Луна, огромная, невероятно яркая, освещала путь. Вскоре увидели мы горы, потом показался и черный провал каменоломен.

— Здесь я оставлю вас. Теперь вам придется полагаться на свои силы и на милосердие сестры нашей, что зовем мы Каменной девой, а жители земли Кемет звали богиней Уто[16]...

Огненная лента исчезла за горизонтом. Под ногами шуршала каменная крошка. В провале исчезла Луна, и мы вступили в черный коридор. Из-под халата за-

A08

пасливый Фарух достал два факела, чиркнул кресалом, и стены осветились.

Древние заброшенные каменоломни поражали. Коридоры были высоки и широки, а пол под ногами подозрительно ровен, будто здесь работали не рабы и в руках у них были не кирки. Словно вырезанные ножом, стены петляли причудливым лабиринтом. Под ногами появились широкие пологие ступени, что вели нескончаемой чередой куда-то вниз. И тут раздался прекрасный женский голос.

— Кто вы, нежданные путники? Как нашли дорогу в мой мир?

— Здравствуй, Каменная дева! Джинн Ас-Сархат показал нам путь в каменоломни.

— Мой брат... Тогда ваш путь открыт.

Стена слева от нас бесшумно раздвинулась, и мы вошли в огромный зал. Полы устилали ковры, ими были увешаны и стены. Ярко горели невиданные светильники, не дававшие ни копоти, ни жара. На величественном троне восседала женщина, прекрасней которой не видел я в своей жизни. И из сердца Фаруха невольно вырвался вздох восхищения.

— Итак, вы ищете сокровища знаний, дабы стать их обладателями?

— Нет, прекраснейшая. Древнюю библиотеку мечтал назвать своей наш повелитель, халиф Багдада Гарун-аль-Рашид, да продлит всемилостивейший Аллах его годы без счета...

— Но почему тогда пришли сюда вы, слуги? Ведь дорога к знаниям всегда открыта. Халиф мог прийти сам и читать драгоценные книги столько, сколько бы его душе было угодно. Плата за знания так невелика...

— Халиф никогда не покидает своего дворца. Это все, что мне известно.

— Но как же он думает прочитать книги, не покидая стен свого жилища?

— Вот поэтому мы и пришли сюда. Нам велено перевезти древние знания в обитель халифа, прекрасный город Багдад...

Хохот Каменной девы был ответом.

— Да как вы смеете помышлять об этом?! И хватит ли у вас сил, чтобы поднять к свету то, что было спрятано великим магом от взоров людских?

— Быть может, сил у нас немного, но слово чести, данное нами, ведет нас вперед.

— Жалкие людишки... Вы слышали подобное когда-нибудь, друзья мои?

И со всех сторон послышались странные голоса. Так могли говорить демоны или люди, век которых на земле давно истек.

— Нет, прекрасная госпожа... Не слышали... Презренные черви...

— Нет, не черви. Честь и в нашем, и в их мире — сила необыкновенная. Но друзья мои, смогут ли они заплатить за счастье увидеть сокровища?

— Испытай их, госпожа Уто... Ис-с-спытай...

— Быть по сему. Я вас испытаю, людишки. И если ваше сердце не остановится при виде невероятной сокровищницы древних знаний, если ваши души не загорятся желанием превратить их в звонкое кровавое золото, я дам вам возможность заплатить за малую толику книг.

Я поклонился:

— Но какой платы потребуешь ты?

— Ты узнаешь, Мореход. А теперь смотрите!

Дальняя стена раздвинулась, заплясал огонь, зажигаясь вдоль коридора, конец которого терялся вдали. И мы увидели...

Каменные трубки хранили свитки. Сколько их было, я и представить себе не мог. Десятки, сотни тысяч. Огромные каменные таблицы... Металлические свитки... Глиняные черепки, испещренные знаками... Фрески, которые изображали небо и землю... Невиданные белоснежные листы и странные кирпичики, яркие и пестрые среди достойного молчания камня и пергамента... Круглые зеркальца, испещренные радужными полосками... Черные квадратики, словно из смолы или слюды...

Огонь словно бежал по невидимой дорожке, а коридор все длился и длился. Вот уже не стало видно ничего, лишь огонек удалялся, становясь все меньше.

— Здесь знания всего мира. Бывшие и будущие... Те, которые некогда обрел человек, те, которые он еще обретет, и те, которые останутся скрытыми навсегда. Таков секрет великой библиотеки...

Я молчал, не в силах вымолвить ни слова. Благоговение перед бесконечностью знаний, что дарует нам всемилостивейший Аллах, было так велико, что на щеках моих появились слезы восторга. Фарух, мой верный друг, тоже стоял молча. Грудь его тяжело вздымалась. Похоже, что ничего подобного он представить себе не мог.

— Что же вы не кричите от радости? Не бросаетесь со всех ног хватать эти невиданные чудеса? Почему не пытаетесь взяться за оружие, чтобы устранить меня — ничтожное препятствие на пути к богатству богатств?

— Ты плохо знаешь человека, уважаемая. — Голос мой дрожал, но не от страха, а от изумления. — Это чудо из чудес. И оно само по себе столь прекрасно и столь величественно, что внушает больше почтения и благоговения, чем радости и желания немедленно сделать его своим, пусть даже ценой чьей-то смерти. Я понимаю, сколь велика ноша, что лежит на твоей душе, — найти того, кому знания дороже богатства. Знаю, что сделать это сложно. А среди тех, кто тревожил твой покой, думаю, настоящих ценителей истины было совсем немного...

Голос Каменной девы заметно смягчился.

— Достойные слова и достойные мысли. Что ж, теперь, когда вы прошли испытание, я назову вам плату за то, что вы вынесете отсюда ничтожную часть сокровищницы. Ибо библиотека бесконечна, как бесконечен мир познания.

— Мы согласны на твои условия, какими бы они ни были.

— Перед собой я вижу двух сильных и прекрасных мужчин. Дни мои скучны, а ночи одиноки. А потому платой станет страсть, которую отдадите мне вы. Вы оба. Я знаю, что чудеса любовной игры так же беспредельны, как и чудеса знания. Впереди бесконечность времени. И когда вы покинете меня, я смогу вспоминать о вас и радоваться новым играм.

Фарух взглянул на меня с ужасом. Да и мне были страшны ее слова. Я помнил, какова в огне страсти была Повелительница гигантов... Но слово было произнесено, и мы молча поклонились, соглашаясь с условиями.

Вокруг нас выросли стены уютных покоев. Полутьма и тепло приняли нас в свои объятия.

— Угоститесь же, уважаемые. Яства со всего мира станут нашими спутниками по бесконечному лабиринту страсти.

Мы вкусили пищу, какой никогда не пробовали, и пригубили напитки, о которых никогда не слышали. Наша хозяйка, Каменная дева, наконец сошла с трона и опустилась на подушки рядом с нами. Одежды ее были прозрачны и не скрывали ни одной черты изумительного тела. Губы жаждали поцелуев, а глаза горели огнем. Необоримый жар поднялся от моих чресел вверх и затопил голову. Как бы ни велика была плата, но желание было еще больше.

Я и не заметил, как начал раздеваться. Фарух взглянул на меня, ужасаясь тому, что я собираюсь делать. Не говоря ни слова, он отвернулся и сел у стены покоев как можно дальше от нас. Наверное, он надеялся, что собственная спина станет лучшей защитой.

Я же просто горел в огне. Он сжигал меня всего, словно я был не зрелым мужем, а юнцом, и мне предстояло доказать опытной женщине, что я сто́ю чего-то как любовник. Я подал деве Уто руку и поднял ее с подушек. Она стояла рядом, не сводя с меня взгляда. Ладонью я прикрыл ей глаза, потом наклонился и, соединив свои и ее уста, начал свободной рукой неторопливо раздевать ее. Почувствовав тепло моей ладони на своем плече, Уто вздрогнула и словно подалась ко мне. Я прошептал ей на ухо:

— Не открывай глаз, прекраснейшая.

Дева кивнула, и я смог отнять руку от ее очей. Теперь мне было проще ласкать ее. Но каждое мое касание вызывало дрожь, выдававшую, сколь давно мужские руки не касались этого совершенного тела. Кожа Уто словно светилась, и ее желание становилось все заметнее. Когда я провел ладонью от плеча к лону, она застонала. Теперь я уже знал, что мне делать. Нет, не обычной близости хотела она. И я успел придумать для нее неплохое развлечение. Ей будет о чем вспомнить после того, как мы исчезнем.

Я ласкал прекрасную Уто, не выпуская из своих объятий. Она слегка пошатывалась. Я повел ее за ширму, туда, где на низком столике стоял кальян. Одним движением я сдвинул его на пол, а потом бросил на лакированную поверхность свой халат.

— Ложись сюда.

— Чего ты хочешь?

— Сделай это, дева. Я хочу доставить тебе изысканное удовольствие.

Она легла на стол. Я встал на колени напротив. В слабом свете от единственного светильника ее нежная кожа буквально светилась.

— Теперь подвинься ближе ко мне и положи ноги мне на плечи.

— Зачем?

— Сделай это. Ты все почувствуешь.

Она придвинулась ближе и положила ноги мне на плечи. Теперь ее несравненные прелести оказались прямо перед моим лицом. Я наслаждался видом того, как она лежит передо мной и жаждет. Я взял ее руками под бедра и подтянул к себе так, что ее лоно оказалось прямо напротив моего лица, прекрасное и желанное. Я чувствовал сладкий запах ее тела. Никогда еще запах женщины не возбуждал меня так сильно, как сейчас. Меня переполняло желание, и я погрузился в этот божественный аромат. Я быстро нашел то, что искал, и начал посасывать ее затвердевший бугорок.

— О Синдбад, это невыносимо!

Она извивалась всем телом, пытаясь освободиться, но я крепко держал ее. Я медленно лизал ее, дразня мягкую плоть языком. Вкус этого божественного лона сводил меня с ума. Несмотря на все ее старания вырваться из этого плена, я продолжал медленно терзать сладкой пыткой ее плоть. Я почувствовал, как ее ногти вонзаются в мои руки, и услышал протяжный негромкий стон:

— Синдбад, пощади, умоляю.

Я чувствовал, что и сам сдерживаюсь с трудом. Но для прекрасной Уто сказка наслаждения только начиналась. Встав, я помог ей подняться. Она безвольно повисла на мне, словно тряпичная кукла.

— Наклонись вперед, прекраснейшая, обопрись о столик.

Я подошел к ней сзади и вошел в нее.

Я гладил ее шелковистую спину, ласкал несравненные бедра и чувствовал, что она раскрылась еще сильнее. Я вошел в нее еще раз, на этот раз медленно и плавно. Она громко застонала. Я стал двигаться резче, при этом каждый раз погружаясь все глубже.

— О-о-о! — воскликнула она, и ее тело содрогнулась в сладкой судороге.

Мышцы ее сжали мой жезл, жар желания нарастал, и я понял, что более не могу сдерживаться. И взорвался, наслаждаясь каждым мигом сладостного единения. Она застонала и снова начала содрогаться, на этот раз вместе со мной.

Когда я открыл глаза, то увидел Фаруха, который пришел к нам за ширму. Да, мы не сдерживали стоны. И любого здорового мужчину это, конечно, должно было возбудить. Возбудился и мой друг. Сейчас он уже не думал о том, что перед ним джинния или богиня. Он видел лишь прекрасную нагую женщину и хотел обладать ею немедленно.

Он поднял согнувшуюся Уто на руки и возлег с ней. Его поцелуй был долгим, страстным и жадным, и она покорилась его молчаливому приказу. Его руки ласкали ее, исследуя все изгибы и ложбинки, а она только вздыхала и стонала от наслаждения.

Покрыв соски нежными поцелуями и лаская их языком, он начал возбуждать в ней угаснувший было огонь. Она охнула, когда его рука опустилась ниже и нашла чувствительную точку в складках ее лона. Уто вскрикнула, изгибаясь к нему навстречу. Ее тело жаждало большего, а он играл с ней, опуская голову и сладостно пытая влажные складки. Фарух, должно быть, ощутил, что она уже на вершине блаженства, — он поднялся и впился жадным поцелуем в губы. Она страстно ответила, обвив руками его голову.

Застонав от наслаждения, он начал гладить ее живот. Затем его руки начали путешествие вниз. И наконец он коснулся жаркого центра между ног, чувствуя влагу.

— Ты готова, великолепная?

— Давно, — прошептала Уто. — Войди в меня. Я не хочу больше ждать.

Он гортанно засмеялся.

— Хочешь быть сверху?

— О да!

Подхватив, он посадил ее на себя.

— Ну так возьми же меня, колдунья. Возьми меня. Я твой целиком и полностью, и ты можешь делать со мной все, что тебе угодно.

Но вместо того чтобы сразу соединиться с ним, она опустилась ниже и, обвив рукой основание, принялась возбуждать его жезл страсти. Фарух застонал — глубокий звук — и начал двигаться в такт ее руке. Она вновь и вновь проводила по вздыбившемуся достоинству, любуясь той грубой необоримой мощью, которую сжимала в кулаке.

Дева продолжала свою сладостную пытку, пока Фарух не взревел и не посадил ее на себя сверху. Затем резко перекатился, забросив ее ноги себе на плечи, и глубоко вошел в нее. Его глаза потемнели от неизъяснимого желания. Застонав от наслаждения, мой друг начал танец любви. Он входил в нее и выходил снова и снова, двигаясь все глубже, быстрее, сильнее, лаская ее тело каждым мощным движением. Его жаркое прерывистое дыхание гремело в покоях, словно сладкая музыка. Задрожав от наслаждения, Уто вскрикнула и тут же была вознаграждена криком Фаруха, что присоединился к ней в погоне за наслаждением.

Сколько мы спали под черным покрывалом сновидений, я не знаю. Но, проснувшись, я увидел вокруг себя не роскошь любовных покоев, что согревали и баловали нас, а каменный зал с коврами. Дева Уто, великая волшебница и великолепная возлюбленная, восседала на своем троне. И лишь припухшие губы напоминали о силе и сладости нашей платы за древнюю библиотеку. И еще голос — довольный голос женщины, а не холодная ярость неведомого чудовища...

— Вы смогли заплатить за сокровища знаний. Вы доказали свою честность. Наградой за это будут те книги, которые некогда сам великий ученый и маг Эратосфен спрятал в моих владениях. Смотрите!

У дальней стены появились деревянные сундуки, окованные полосами меди. И число их было столь велико, что сразу и не сочтешь.

— Но как же мы унесем эти несметные сокровища? — В моем голосе прозвучал непритворный ужас.

— Я помогу вам. Подземные слуги сильны и проворны. Они доставят эту безделицу к выходу из моих владений. Но помните: моим подданным нельзя попадать ни под лучи Солнца, ни на свет Луны. Ибо тогда они застынут каменными изваяниями. А дальше...

Вам придется самим придумывать, как доставить вашему правителю то, что он посчитает знаниями древних.

— Благодарим тебя, прекраснейшая. — Я не мог больше вымолвить ни слова, хотя самые нежные слова рвались из моей души. Но ее глаза приказали молчать, и я молчал.

— Ступайте. Я приду проводить вас. Но если вы меня не узнаете, то не сможете выйти. А если узнаете, перед вами откроется самая легкая и короткая дорога.

Перед глазами потемнело. И вот уже мы стоим в каком-то коридоре, в руках у нас чадящие факелы, а где-то впереди бухают шаги чудовищных слуг Каменной девы, несущих наверх сундуки с книгами.

— Какое еще испытание припасла для нас эта женщина? Неужели у тебя остались силы еще хоть для одного поцелуя?

— Нет, Фарух, боюсь, что это испытание будет пострашнее. Да и удовольствия доставит меньше.

Мы поднимались по гигантским ступеням... Все ближе и ближе был подлунный мир. Стали слышны запахи ночи — прохладный ветерок дохнул из-за поворота.

И тут появилась она. Нет, не Каменная дева, а страшная богиня Уто — гигантская кобра. Ее раскрытый клобук был огромным, а тело бесконечными волнами пряталось в боковом коридоре. Я взглянул пристальнее и вспомнил слова: «Я приду вас проводить...» А потом взглянул прямо в глаза чудовищной змеи. То были глаза женщины — необыкновенно страстной и бесконечно желанной. О такой грезит любой мужчина, но она является в жизни лишь единицам.

Я рассмеялся и воскликнул:

— Прощай, прекрасная и великая Уто! Да будет твоя жизнь бесконечной, как бесконечны знания, которые та хранишь!

И змея исчезла... Исчезло все, лишь у поворота коридора грудой стояли сундуки и высилась статуя: юная дева вглядывалась в неведомые дали.

— Что ж, пора звать Ас-Сархата, джинна, и, да хранит нас Аллах великий, как можно быстрее убираться отсюда. Уж слишком страшны древние тайны Кемет!

— Да, Синдбад. Нам пора.

Я вышел под лунный свет, хлопнул в ладоши: три раза, раз и еще три. И сразу раздался голос:

— Долго же вы гуляли...

— Долго? Прошло много времени?

Ас-Сархат хмыкнул:

— По сравнению с вечностью только миг. Но в вашем мире, мире людей, протекло двести дней, и еще один день миновал сегодня. Ваши спутники долго кричали на моего хозяина, обвиняли его в том, что он послал вас на смерть. Но теперь все стихло, а хозяин мой всерьез обеспокоен. И думается мне, уже и сам не рад, что пригласил вас под свой кров.

— Ну что ж, значит, мы его порадуем. Даже дважды порадуем. И тем, что остались живы, и тем, что собираемся на рассвете покинуть город Искандера Двурогого и землю Кемет.

— Значит, моя сестра была к вам снисходительна?

— Я бы сказал, что она позволила нам заплатить за кроху сокровищ... И теперь я прошу у тебя, благородный джинн, совета: как эти сокровища мне доставить на корабль...

— «Благородный джинн»... — Мне не послышалось, в голосе Ас-Сархата прозвучало удовольствие. — Редко кто из вашего племени называет нас так. Я помогу тебе. Но ответь, вы сегодня собираетесь отплыть?

— Я же сказал, как только наши сундуки окажутся на корабле и мои товарищи ступят на борт, мы сразу же поднимем парус. И, да смилуется над нами Аллах всесильный, попытаемся как можно скорее вернуться в Багдад...

— Мой хозяин будет удивлен... Нет, он будет поражен. Но где же сокровище, которое должно оказаться у халифа?

Я показал на сундуки, что грудой высились у стены.

— Не беспокойся, отважный Синдбад. Считай, что ваше сокровище уже на борту корабля.

Мы шли сонными улочками. Город просыпался. Я не мог поверить, что миновало уже более двух сотен дней. Казалось, здесь, за глиняными дувалами, застыло время. Но надо было торопиться домой. Мне не страшно было прогневить халифа своими задержками, но огорчить любимую даже лишним часом ожидания я не хотел.

Почти бегом мы добрались до дома Фархада, не слушая его причитаний и восторгов, и скомандовали товарищам немедленно возвращаться на корабль. Полуденное солнце освещало нам дорогу. Земля Кемет с ее древними и мрачными тайнами осталась позади.

Аллах был милостив, ветры подгоняли судно, словно услышав наше желание. И вот уже великая Басра встречала нас. Я торопился, будто за мной гнались все ифриты преисподней, и подгонял своих товарищей. И наконец, спустя почти год, мы ступили на улицы родного Багдада.

Только здесь я позволил себе не торопиться. Спокойные невозмутимые верблюды внесли поклажу в сады халифа. Я поцеловал землю у ног повелителя правоверных. Теперь долг мой был выполнен. Я сдержал слово и мог спешить к своей семье.

Прекрасная Лейла все так же встречала меня у дверей. Рядом с ней стоял наш малыш. Он ясными глазами посмотрел на меня и сказал:

— Вот наконец ты и приехал, отец!

Слезы застлали мне глаза, и я возблагодарил Аллаха за все его милости. Пятое путешествие во славу халифа, повелителя правоверных, закончилось, и я обрел покой.

* * *

Молчали гости, замерев в изумлении. Закончил свою долгую речь хозяин. И Синдбад-ученик посвил последнюю точку.

— Вот так закончилось мое пятое путешествие. А завтра, если Аллах всемилостивейший и милосердный позволит, я расскажу вам, что было со мной в шестом странствии.

Отдав Синдбаду-ученику сто мискалей золотом, Мореход сказал:

— Завтра, когда истечет дневная молитва, отправляйся в лавку Касима. Самые черные восточные чернила и самый тонкий пергамент из далекого города ждут тебя. А потом приходи ко мне и запиши рассказ о моих приключениях, что были страшнее и дольше тех, о которых уже слышал.

Зажглись на небе звезды. И лишь они и бесконечно-прекрасный небесный свод наблюдали путь Синдбада-ученика.

Макама шестая

Пришло и закончилось время дневной молитвы. Синдбад-ученик спрятал коврик, торопливо надел любимый шелковый халат и поспешил в лавку Касима. Тут, по словам Морехода, ждали его самые черные восточные чернила из далекой страны на берегу Желтого моря (но чернила-то при этом явно не желтые) и самый тонкий пергамент из знаменитого города.

Еще быстрее шел Синдбад к Мореходу. А на ходу гадал, что же это за страшное путешествие, о котором собирался сегодня поведать неутомимый путешественник. Казалось бы, уже везде побывал и всякое повидал Синдбад-Мореход. И белая скала из ужаса, и Повелительница великанов, и крылатые морские кони... Чего же теперь захочет жадный до знаний и чудес владыка правоверных, халиф Гарун аль-Рашид, о котором столько раз уже упоминал Синдбад и который был у начала всех странствий отважного купца...

Ответ на этот невысказанный вопрос прозвучал сразу после того, как гости отведали яств и напитков, а сам хозяин вышел на середину комнаты.

— Итак, я вошел под родной кров и возблагодарил Аллаха милосердного за то, что он даровал мне место покоя и радости. Приют, где меня ждут и днем и ночью. Обитель, где я услышал первые слова своего сына и где меня всегда встречала самая прекрасная из женщин.

Дни шли за днями, недели за неделями, месяцы собирались вместе... Вот уже и год минул со дня моего возвращения. В душе затеплилась надежда, что мне удалось утолить ненасытную жажду халифа, ищущего нового и неизвестного, желающего собрать все чудеса и диковины в стенах своего дворца. Аллах подарил нам с Лейлой еще одно дитя — прелестная дочь стала новой отрадой моего сердца и игрушкой для сына. Камаль забавлялся с ней, но всегда готов был защитить малышку Фатиму от любой беды, даже если это просто паучок торопливо взбирался по своей паутинке.

Еще двенадцать месяцев собрались в год, девчушка стала ходить, а потом и лепетать. В памяти стерлись и полутемные тайные покои халифа, и его беспокойный взгляд. Я забыл, как спится на кошме и как пахнет дым костра в оазисе. Счастье и покой пришли в мою душу.

Но покой оказался призрачным. Ибо в тот день, когда Фатиме исполнилось два года, у моего порога появился скороход из дворца. С тяжелым вздохом я встал.

— Не тревожься, о мой муж и повелитель. Долгим будет твое странствие, но счастливым. Ты увидишь много островов и морей, раскроешь объятия самым гордым и прекрасным женщинам мира, но вернешься сюда, под этот кров. А мы с детьми будем ждать тебя и слушать сказки о твоих приключениях, которых не рассказывают на наших базарах только немые.

Слова моей дивной жены успокоили меня, но я еще раз удивился про себя ее всеведению и всезнанию. Хотя, надо признать, это всезнание меня всегда успокаивало. Ведь получалось-то именно по ее предсказанию — я возвращался, и с успехом.

Две детские ладошки — поменьше и побольше — помахали мне вслед, и я с легким сердцем отправился во дворец халифа. Стоял теплый вечер, цикады только начинали свою песнь. Безмолвный царедворец в этот раз повел меня не в тайные покои, а лишь указал на тропинку, что вилась меж деревьев. Я сделал несколько шагов и оказался в беседке, сплошь увитой диковинными лианами, что пахли сильно и пряно. Повелитель, приподнявшись с подушек, приветствовал мое появление.

— Здравствуй, отважный Синдбад. Давно не видели мы тебя, давно. Нам говорили, что у тебя родилась дочь... Фатима, верно?

— Да, о мудрейший. Малышка Фатима становится день ото дня прекраснее.

— Мы рады, Мореход. Но все равно решили оторвать тебя от семьи. Ибо нет среди наших подданных человека удачливее тебя. Вот уже почти два года, как посылаем мы людей в бурное море за Геркулесовы столпы. Там, как говорят легенды эллинские, лежит земля древняя и мудрая. Тайнам ее, по слухам, нет числа. А ты знаешь, как мы любим тайны. Говорят, что живут в той земле люди всесильные и всеведающие, повелевающие стихиями так, как никто из нас не умеет, собравшие знания со всего мира от дня его сотворения до конца времен.

— Повинуюсь, о повелитель. — Я поклонился. — Когда прикажешь отправиться в путь?

— Знаешь, мы желали бы, чтобы в этом странствии кроме тех, кому ты доверяешь, тебя сопровождал и мой визирь.

Я ужаснулся. Ведь визирь — глубокий старец. Его голос временами еле слышен...

— Не бойся, — халиф угадал мои мысли (наверное, это было нетрудно сделать и по выражению моего лица). — Визирь, мудрый Абу Алам Монте-Исума, вовсе не стар. И очень силен. А хилым и немощным нам просто удобно видеть его. Потому он так и выглядит. Тебе же он будет надежным спутником. И к тому же визирь знает столь много...

Я молча поклонился. Желание халифа оспорить я не мог.

— Что ж, Синдбад. Пора тебе собираться. В это путешествие ты отправишься на нашем корабле с царского причала Басры. Тебе и визирю не пристало путешествовать, как другим путникам, тем более когда вас будет охранять мое повеление и моя золотая байза.

Теперь я был не просто удивлен — я был поражен и напуган... Золотая байза — «всесильное повеление». В любой стране, на любом берегу, в любом поселении нас обязаны встречать, словно перед ними сам халиф. Любое наше желание должно быть удовлетворено вполне, будто этого хочет сам всесильный. А каждое наше повеление будет исполнено как повеление самого владыки правоверных, да продлит Аллах его годы без счета. Золотая байза — это очень суровая ответственность. За всю историю нашего города, да хранит его небесный свод, мне известны лишь четыре случая, когда повелитель даровал золотую байзу. Слова халифа взвалили огромный груз на мои плечи. Теперь я не мог ослушаться ни поступком, ни мыслью. Послушайте же, братья мои...

Рассказ о шестом путешествии

— Знайте же, братья, что каждое путешествие начинал я с покупок на нашем обильном и шумном базаре. Добрые торговцы, некогда мои товарищи, теперь старались продать мне самые лучшие свои товары. Ведь все понимали, что плохого в дорогу я не возьму, но любому будет почетно как-нибудь в кругу друзей за пиалой ароматного чая похвастать, что у него запасается для долгой дороги сам Синдбад-Мореход... Не скрою, что я этим пользовался. Вот почему мы и расходились с приятелями всегда довольные друг другом. Я получал то, чего хотел, а они грелись в лучах моего имени...

Итак, припасы в дорогу были собраны. Я прощался с домашними и с нетерпением ждал того момента, когда мой порог переступит визирь. Ждал появления слабого старика, которого мне предстоит оберегать всю дорогу не для того, чтобы как-нибудь воспользоваться его советом, а просто потому что почтение к возрасту делает любого из нас услужливым и предупредительным.

Но в двери моего дома вошел крепкий мужчина. Невысокий, уверенный в себе. Каждое его движение выдавало недюжинную силу. Видя мое изумление, он рассмеялся:

— И я тебя приветствую, Синдбад-Мореход. Не пытайся ответить, я понимаю твое удивление. Старцем я кажусь только тогда, когда этого хочет повелитель. Его можно понять — от седого и бессильного старика принять совет куда проще, чем от сверстника. На самом же деле я выгляжу именно так. И не раз в молодые годы побеждал на соревнованиях борцов. Я много странствовал по свету: в далекой полуночной стране выучился грести, у северных народов перенял языки и науки, а у народов южных изведал многие тайны из тех, что описывают не мир вокруг нас, а мир внутри нас... Судьба ко мне благосклонна — я много узнал и многому научился, а ведь сам еще не стар.

— Приветствую тебя в своем доме, о благородный Абу Алам!

Ко мне вернулась речь. Теперь я был рад, что визирь станет мне спутником в этом путешествии. Сильное плечо и мудрое слово в странствии — вещи очень нужные. Тем более когда отправляешься слишком далеко и точно неизвестно зачем.

Уже через два дня мы были в Басре. На царской пристани нас ждал корабль, который должен был стать нашим домом не на один десяток дней. Я считал себя опытным путешественником, но такого корабля мне видеть не доводилось. Не был он похож ни на кнорр полуночных народов, ни на барку народов полуденных. Высокие крутые борта казались почти круглыми, а на парусах изображены были благородные духи, оберегающие путников в далеком странствии. Я попытался узнать, какой из народов соорудил это невиданное судно, но моряки молчали. Промолчал и визирь в ответ на мой вопрос. Лишь через несколько дней пути он сказал:

— Тебе лучше бы не знать о народе, что соорудил этот корабль. Многие считают его вымершим в незапамятные времена, другие — таким, что еще не родился. Я же могу сказать только, что наше судно сделано из металла и что только на таком необыкновенном судне мы можем уплыть за Геркулесовы столпы и попытаться пересечь узкое бурное море, чтобы добраться до земли древней мудрости, что эллины назвали Атлантидой...

— Но скажи мне, визирь, что же заставило нас отправиться в путь? Каких тайн не хватает в сокровищнице нашего великого халифа?

— Знаешь, Синдбад, а ведь ответ на этот вопрос неведом и мне. Дошло до меня лишь то, что знания островной страны хранят изгнанные девы. Их отвергли женихи, от них отказались родственники именно потому, что всем радостям жизни они предпочитают знания. А вот что они хранят и какой частью своих тайн могут поделиться, нам предстоит узнать. Пусть и не очень скоро...

— Не очень скоро?

— Да, мой друг. Вспомни, как долго ты странствовал по черной земле Кемет... Говорят, что до Атлантиды путь вдесятеро длиннее.

Я вспомнил цену, которую заплатил за книги из той земли... Не могу сказать, что воспоминания эти были мне неприятны. Скорее, они даже льстили моему мужскому самолюбию. Интересно, кому в этот раз придется платить за сокровенные тайны?

Безбрежность морского простора угнетала, а неизвестность тяготила. И лишь воспоминание о семье и о пророчестве моей прекрасной Лейлы делало меня если не сильнее, то спокойнее.

Дни шли за днями. Мы проводили их в неспешных беседах. Визирь знал очень много и охотно делился знаниями со всеми нами. Хотя, честно говоря, временами его рассказы мне напоминали притчи, сказания, саги — все те истории, что за многие сотни лет сложили разные народы мира. Как-то вечером я посмел высказать эту мысль вслух. Но Абу Алам лишь рассмеялся:

— Знаешь, мудрый Мореход, ты прав. Ведь знания — это наша попытка сделать мир понятнее. Но чем больше мы узнаем, тем больше понимаем, как мало наше знание. А потому воистину мудрый ученый не гнушается сказок. Кто знает, почему народы придумывают эти невероятные истории? Потому, что не понимают мира вокруг? Или потому, что понимают его слишком хорошо?

— Так, быть может, премудрый визирь, мы тоже едем за сказками? Быть может, и погоня нашего великого владыки за знаниями — это просто погоня за сказками?

— Быть может, так и есть. Нам же остается лишь малость — добраться до земли древней мудрости. И найти там сокровенные знания.

Я усмехнулся этим словам сановника. Хотя сейчас он больше напоминал одного из друзей Фаруха, сына Мариам-кушачницы. Если я забыл, то скажу сейчас, что Фарух, конечно, был со мной на этом диковинном корабле. Наше странствие по черной земле Кемет он не забыл. И более того, с радостью согласился сопровождать меня в новом путешествии.

Случилось так, что мимо Геркулесовых столпов мы проплывали глубокой ночью. Нас окружала непроглядная тьма. И хотя море было совершенно спокойным, я беспокоился о том, не вынесет ли нас на скалы. Мои спутники разделяли опасения. Но их не разделял визирь. Он лишь ухмылялся в бороду и успокаивал нас.

Сняв дворцовые одежды, Абу Алам более всего походил на разбойника морей. Черная борода, обветренное лицо, спокойный взгляд серо-стальных глаз (большая редкость в нашем прекрасном городе Багдаде). Но визирь говорил, что его мать была из народа северного, где светлоглазые и светловолосые люди вовсе не редкость.

Вдруг тьму вокруг нас прорезал необыкновенно яркий луч, словно солнце на миг вынырнуло из-за горизонта. Белый огонь окатил наше судно от крутых бортов до высоких мачт.

— Что это, Синдбад? — в голосе Фаруха я впервые услышал ужас.

— Понятия не имею, друг мой. Быть может, почтеннейший визирь нам растолкует эту тайну.

— К сожалению, друзья мои, я тоже не знаю, что это.

Казалось, что луч провожает наш корабль. Он по-прежнему освещал все вокруг, хотя мы двигались достаточно быстро. По правую руку от корабля в темноте черной громадиной проплыла скала эль-Тарика[17]. И как только она осталась у нас за спиной, мир вокруг вспыхнул. Все небо озарилось радужными переливами. Казалось, в небесах развеваются чудовищно-огромные ярко-радужные цыганские юбки. Такого зрелища я никогда не видел. И потому возблагодарил Аллаха всемилостивейшего, который помог мне узреть это невероятное чудо.

Но визирь, который был ошеломлен не меньше нашего, не благодарил Аллаха, не кричал, что это сам Иблис устроил пляску. Абу Алам с озадаченным видом стоял у борта судна и встревожено всматривался в переливы цвета впереди по ходу корабля. Потом он обернулся ко мне.

— Что случилось, почтеннейший? — спросил я, увидев выражение его лица.

— Знай же, мудрейший Мореход, что я вижу это не впервые. Некогда в далеких полуночных землях видел я такую пляску огней. Местные варвары, что надевают шкуры и так спасаются от лютого холода, говорили, что такое чудо я могу созерцать только в самых далеких и холодных землях. Мы же сейчас не на полуночи. Наоборот, мы спустились к полудню от нашего прекрасного Багдада, где царит халиф Гарун-аль-Рашид, да продлит Аллах его годы без счета. Боюсь, что наши испытания только начались.

— Ну что ж, мудрейший... Пусть это и так. Мы же не вернемся в Багдад только потому, что нас напугала какая-то небесная плясунья, что размахивает сейчас яркими юбками перед нашим носом. Зато подумай о том, какие чудеса ты сможешь описать халифу и какими знаниями обогатишься ты сам, когда мы доберемся до древней земли загадок и тайн!

Корабль продолжал скользить по глади моря, а над нами все так же бесшумно и величественно разыгрывалась изумительная феерия. Но потом краски стали тускнеть и вскоре исчезли совсем. Вместе с красками ушла из моего сердца непонятная тоска. Я себя чувствовал воином накануне сражения. Его отделяли от схватки считанные часы, а меня многие дни. И дни отделяли меня от поступков, не совершить которые я не мог.

Путешествие наше было пусть нетяжелым, но долгим. Но наконец подошло к концу и оно. Показался зеленый берег. Горы терялись в облаках, а море ластилось к песчаным отмелям.

— Итак, Синдбад, возблагодарим же Аллаха за то, что он даровал нам удачу. Перед нами древняя земля загадок и тайн, которую эллины называли Атлантидой. Сами же жители этих долин называют себя просто «великие», ибо считают свой народ самым древним и самым мудрым. Они уверены, что от них разошлись по миру и остальные народы. Отдаюсь целиком во власть твоего везения, Мореход. Нам нужно только одно — найти на этом удивительном острове ту самую тайну, сокровеннейшую из сокровенных, что станет жемчужиной среди тайн халифа.

И мы сошли на берег.

Вернее, мы вышли на причал, высеченный, похоже, из одного огромного камня. Здания порта, казалось, парили над землей, так легки они были. Их сложили из камней, выстроив столь искусно, что казались строения не каменными, а сшитыми из тканей. Порт жил несуетливо. Повозки с грузами катились сами собой, а их вожатые сидели спереди и выбирали дорогу меж других таких же повозок. Мы осматривались, не понимая, куда же идти и кого спросить.

Прошло несколько минут. Все мои спутники сошли с корабля. И тут рядом с нами появились (мы не заметили, откуда они пришли и когда) прекрасные женщины с открытыми лицами и тяжелыми мечами в руках. Суровая предводительница вышла вперед и спросила:

— Кто вы, неразумные странники, и как оказались на земле древней мудрости?

— Мы подданные халифа Гаруна-аль-Рашида и пересекли узкое бурное море по его повелению.

— Чего же хочется младшему брату нашей мудрости? С каким повелением он отправил вас в долгое путешествие?

Что-то удержало меня от прямого ответа. Я пробормотал:

— Он беспрестанно ищет знаний, которые еще не обрел в подлунном мире...

Надо вам сказать, братья, меня изумляло даже то, что женщины, прекраснейшие создания, несут стражу, словно суровые мужи. Но я понимал, что в разных землях могут быть разные порядки и разные обычаи.

После моих слов нечто странное произошло с суровой стражницей порта. Она улыбнулась так загадочно, что мне, скажу честно, братья, стало страшно.

— Горе тому, кто ищет ненужных знаний. Горе тому, кто пытается узнать еще неузнанное и познать доселе неведомое. Разве плохо вам то, что уже поведали мудрецы? Разве вашему халифу недостаточно того, что уже написано в книгах?

— Поверь нам, почтеннейшая, мы состоим на службе у нашего владыки. Его повеления — закон для нас. И потому мы решились нарушить ваш покой, пусть сами того и не желали.

— Пойдемте, чужеземцы. Я провожу вас к портовым стражам. Вы поедите и отдохнете, а мы попытаемся понять, что же делать с вами дальше.

Эти слова меня насторожили. За спиной ушедшей вперед главы стражниц мы с визирем переглянулись. В глазах Абу Алама была тревога. Позади себя я услышал шаги — верный Фарух прикрыл наши спины.

— Не опасайтесь, чужеземцы, — не оглядываясь, сказала повелительница стражи. — Мы не причиним вам вреда.

— Будьте осторожны, путешественники...

Эти слова произнесла молоденькая стражница, что шла рядом с визирем. Она старалась подойти как можно ближе к нам и говорить как можно тише.

— Мы действительно вреда вам причинить не можем. Но можем заточить в роскошных покоях на долгие годы. Там вы усвоите мудрость, воссиявшую над нашей страной, что гласит: «Наш век — век золотой. Все уже известно, что уже придумано. А те, кто стремятся к иному, посягают на сами устои нашего мира».

Я изумленно смотрел на девушку. А Фарух, приобняв ее за плечи, спросил:

— Малышка, а ты тоже так считаешь? Ты тоже думаешь, что в этом мире все известно?

— Убери лапы, варвар...

Эти слова она не проговорила, а прошипела сквозь зубы.

— Прости нас, прекраснейшая, мы не знаем обычаев твоей родины, — примирительно проговорил визирь.

— Это не моя родина, варвар! Это слезы наших матерей! Предательство древнего знания!

— Подожди-ка, красавица. Не торопись, говори подробнее.

— Не могу, мы уже почти пришли. Впереди розовое здание — это единственный выход из порта в город. Там вам все объяснят...

— Единственный выход... единственный выход из порта... не нравится мне такая мудрость, Синдбад.

Это сказал Фарух — иногда смелый до безумия, отважный и решительный воин.

— Вот что, чужеземцы. Если вы и в самом деле приплыли за знаниями, если повеление вашего владыки так важно для вас, я вам помогу... Не время сейчас спрашивать, почему я так поступаю. Если получится нам еще встретиться, тогда все объясню. А сейчас поспешите за мной.

Девушка ушла вперед. Мы приближались к воротам порта — вернее, к тому зданию, что она назвала единственным выходом... Но не дойдя буквально нескольких шагов, она бегом свернула к скалам. Мы последовали за ней, стараясь избавиться от погони. Вслед нам неслись слова:

— Куда вы, несчастные чужеземцы? Остановитесь! Вам никто не угрожает! Мы не причиним вам зла!

Крики стражниц становились все тише, мы убегали по узенькому коридору в скалах, вход в который был незаметен, а лабиринт так извилист, что только посвященный в тайну мог найти дорогу.

Когда каменный коридор чуть расширился, провожатая позволила нам остановиться. И она, и мы все тяжело дышали.

— Отсюда вам, чужеземцы, придется выбираться самим. Впереди только один коридор, он выведет вас в рощу у подножия горы. Там, в роще, вас будут ждать те, к кому вы стремитесь. Мне же остается попрощаться с вами. Быть может, когда-нибудь мы встретимся. Но я желаю успеха вашему путешествию. О корабле можете не беспокоиться: с ним ничего не случится. Но если решите возвращаться отсюда, постарайтесь сделать это ночью. А теперь прощайте...

И она, встав на цыпочки, поцеловала в щеку Фаруха, того самого варвара...

— А как же ты, прекраснейшая?

— Не беспокойтесь... Вы же могли меня заставить, верно?

И девушка исчезла за поворотом каменного коридора.

Мы, оступаясь и поминутно поминая Аллаха, вышли из-под сени камня. То, что мы увидели, рощей назвать было трудно. Величественные сосновые кроны насквозь пронзали лучи солнца. Запах смолы оглушал, а красота этого места делала немым любого вошедшего сюда. Вдали чернело строение. Сначала оно показалось нам каменным, но чем ближе мы подходили, тем более сомневались в этом. Глухие стены поднимались над соснами, узкие окна, больше похожие на бойницы, были расположены высоко над землей. И не было видно никакого входа...

— Красавица сказала, что нас будут ждать. Но что-то никого вокруг не видно. И никто нас не ждет.

— Погоди, Фарух, быть может, сейчас кто-то появится.

Не успел я договорить, как прямо у нас над головой раздался голос. Один Аллах ведает, как я не люблю эти бестелесные голоса, что возникают ниоткуда и чаще всего грозят только неприятностями.

— Кто вы, странники? Как посмели вы нарушить покой священного места знания?

— Эх, Мореход! — Фарух был здорово рассержен. — Мне уже порядком надоел этот вопрос. «Зачем приехали» да «как посмели»... Вот будь моя воля, сидел бы я дома, обнимал стан прекрасной наложницы и думал только о том, как сделать новый день спокойным и радостным... А вместо этого мы уже не первый год скитаемся с тобой по дальним странам в угоду странным желаниям нашего неугомонного повелителя.

— Да, мой друг, поверь, я бы тоже никуда не удалялся от собственного дома. И тоже мечтал бы лишь о покое и радости. Но наш повелитель, ты прав, не знает покоя, а потому...

Я обернулся к черным стенам неведомого здания и сказал громче, чем следовало бы:

— Мы появились на древней земле мудрости, ибо так захотел наш повелитель, халиф Гарун-аль-Рашид. Его манят неведомые тайны, он собирает их, как другой человек собирал бы монеты или драгоценности.

— Гарун-аль-Рашид... Неугомонный...

Голос изменился. Он был женским, низким и полным ласки, даже немного мечтательным. Чудеса творились вокруг нас. И даже великий визирь молчал. Полагаю, он, так же как и мы, был изумлен происходящим.

Бесшумно раскрылся вход — высокий и узкий портал вел нас по полутемным залам. Удивительные статуи, едва видимые в тусклом свете, улыбались загадочно. Вверх уходили бесконечные стеллажи. Свитки и таблички, книги и белые листы. Как это было похоже на хранилища библиотеки Искандера Двурогого!.. Но было и отличие — ни души, ни дуновения, ни звука. Только наши шаги гулко раздавались под высокими потолками.

— Куда мы попали? Что это за место?

— Думаю, друзья, это и есть хранилище мудрости... Мы попали туда, куда должны были попасть. Но где же люди? Кто же хранитель истинных знаний? И почему он прячется от нас?

— От вас никто не прячется, человечек!

Посреди зала появилась прекрасная и величественная женщина. Черты ее лица были безукоризненны, а одеяния необыкновенны как сон. Надменность, сквозившая в голосе, меня не оскорбила. Помнится, я даже подумал, что чем древнее земля и чем больше на ней тайн, тем презрительнее жители этой земли относятся к пришельцам...

— Так чего же хочет неугомонный Гарун-аль-Рашид? И почему послал сюда вас, а не явился сам?

— Наш повелитель собирает тайны. А мы пришли сюда по его повелению затем, чтобы самые сокровенные из тех, что будут доступны нашему пониманию, сделать и его знаниями...

Вперед выступил визирь.

— Халиф, да хранит его небесный свод, никогда не покидает дворца. Ибо только там ему доступны размышления в тишине, только там он может прислушиваться к душе своего народа. Только там его не отвлекает суета повседневной жизни и он может решать воистину великие задачи, которые достойны ума халифа.

— Ну что ж, этот урок ваш повелитель усвоил неплохо. А ты... — Женщина замолчала. Она словно прислушивалась или присматривалась к чему-то, недоступному нам. — А ты его визирь, бесстрашный и верный Абу Алам. Слава о твоих подвигах доходила до нас. Мы знаем и о твоем странствии по землям полуночи, слышали и о путешествии к полуденным землям. Теперь знаем ровно столько же, сколько знаешь и ты, но не так снисходительны к вашему царьку...

Женщина сделала несколько шагов, окинула нас всех долгим изучающим взглядом.

— Что ж, вы отважны и смелы. Наградой вам за это будут знания... Но для того, чтобы понять их, нужен не один день, нужно усердие и терпение. Готовы ли вы отдать часть своей жизни нам?

Мы в ответ лишь склонили головы. Ибо чего-то подобного и следовало ожидать.

— А если так, то присядем в этом зале. Здесь вы будете постигать науки, а потому для первого урока это самое подходящее место. Знайте же, пришельцы, что вы ступили на землю великих не в добрый час. Ибо здесь, где знания всегда были сокровищем, теперь они не нужны. Наши мудрые вожди вдруг решили, что все знания мира обретены, все тайны расшифрованы и теперь можно наслаждаться всеведением.

— Прости меня, уважаемая, — вступил в разговор визирь, — но что же тут плохого?

— Ты еще молод, визирь, и не все понимаешь. Плохо как раз то, что уже нечего разгадывать и узнавать. По мнению наших ученых...

В голосе женщины нотки печали сменились отчетливым презрением. Не очень она, вероятно, уважала этих ученых.

— Если все уже изведано, то значит, более не нужны ни библиотеки, ни ученые, ни суровая дисциплина, что необходима для познания мира... Так было решено более ста лет назад, и с тех пор в наших городах не написали ни одной книги, детям больше не надо ходить в школу...

— Это не похоже не полное знание... Больше это похоже не сытое свиное брюхо... А если детям более нет надобности ходить в школу, значит, они растут тупыми и ограниченными... — Фарух был не огорчен. Он был напуган.

— Увы, чужеземец, ты прав. Не только тупыми и ограниченными, но еще и ленивыми и падкими до удовольствий. Те же, кому скучно лишь наслаждаться и потреблять, стали изгоями. Хранители знаний изгнаны из городов. Некогда почетная роль познания стала печатью позора. А места, где раньше собирались ученые, заросли сорняками. Да и вы сейчас в стенах обители отшельниц.

— Отшельниц? — я невольно перебил мудрую женщину.

— Да, Мореход, отшельниц. Нас, хранителей знаний, совсем немного, и среди нас почти нет мужчин. Хотя, поверь, мы никого не изгоняем, не превращаем наш приют в тюрьму... Просто мужчины слабы. У них не хватает самоотверженности... Ведь хранить знания трудно, особенно когда понимаешь, что понадобиться они могут после твоей кончины или через столько лет, когда имя хранителя уже сотрется из памяти людской. Мужчинам нужна громкая и сиюминутная слава. Вот поэтому среди нас так много женщин... Да и приют наш так и называется: Чиао-линь — приют отшельниц.

О, как же заблестели в этот момент глаза моего друга Фаруха! Я его, конечно, понимал. Среди нас он был самым большим любителем приключений.

Но мудрейшая, оказывается, еще не закончила свой рассказ. Вернее, теперь она повествовала о том, что ждет нас впереди... Нас троих.

— Вы же, чужеземцы, невольно станете нашими учениками. Вам мы сможем передать то, в чем наш несчастный народ не нуждается. Вернее, то, в чем его намеренно ограничивают. Это не будут скучные и сухие уроки в четырех стенах. Ибо познание мира — это и познание нашего внутреннего «я», познание нашего тела, познание нашего духа. Вы увидите наши занятия, станете одними из нас. Быть может, ваше появление станет драгоценным не только для вас, но и для нас. Ибо сказано, что приобретать можно, только отдавая... Зовите меня Софией. Мудрость будет моим именем, а мои уста — ее устами.

Женщина легко встала и повела нас через внутренний дворик туда, где нам предстояло учиться, дабы приобрести знания, которых так жаждал наш халиф.

Дни наши стали похожи друг на друга. После завтрака мы начинали учиться. Уроки в зале со свитками сменялись уроками на свежем воздухе. Мы изучали науки о мире и о человеке, о знании и о защите. Учились защищаться палкой, мечом, руками и ногами. Учились защищаться взглядом и нападать силой мысли. Учились гармонии человека и природы, гармонии внутри человека. Мы учились с раннего утра и до глубокой ночи. Но и ночью мы тоже учились. Так нам стали ведомы и гармония движения небесных светил, и гармония движения человеческих душ и тел.

Дни проходили за днями, и постепенно у каждого из нас появились свои учителя, вернее, прекрасные наставницы. София опекала визиря, и со временем они перестали расставаться даже на ночь. Подругой смелого Фаруха стала дева, раскрывшая перед нами истинную роль сказок и преданий. Ибо в них, учила она, под маской невиданного и порой небывалого почти всегда скрыто истинное, хоть и забытое. И искусство всегда состоит в том, чтобы это истинное найти. Звали ее Шахразада, она была дочерью персидского купца, чье судно прибил ураган к берегу древней Атлантиды многие годы назад. А я прикипел душой к мудрой и отчаянной Заре, чье имя на языке моего народа значило «золотая». Ибо ее знания были много ценнее золота, а тело ее было прекраснее тел тех статуй, что видели мы каждый день в залах, где изучали мир.

Зара учила нас законам, что движут человеком, его поведением, желаниями и умениями. Особый урок она преподала мне тогда, когда прошел ровно год после нашего появления на древней земле мудрости.

Это была ночь необыкновенно звездная и необыкновенно тихая. Мы любовались небом из окна. Потом Зара потушила светильники, оставив лишь один у ложа.

— Сегодня я буду учить тебя послушанию.

Она поцеловала меня там, где пульсировала вена на шее. Что-то заставило меня вздрогнуть. Быть может, предчувствие не-

A108

обыкновенных ощущений. Или, быть может, страх...

Сердце учащенно забилось, и я почувствовал, как нарастает возбуждение. Затем закрыл глаза и отдался ее ласкам. Ее рука потянулась вниз, к моим чреслам. Другой рукой она сжимала мои бедра.

— А сейчас мы тебя разденем, — сказала она.

Кровь прилила к моему жезлу страсти. Я пытался поймать ее руки, но она вытащила несколько шелковых лент. Я словно пьянел от того, что делает Зара. Увлекая меня за собой, она сказала:

— Пойдем на ложе. Я выбрала шелка и кое-что придумала, а теперь просто сгораю от желания узнать, что же почувствуешь ты. Ведь ты расскажешь мне, Мореход?

Я указал на свои чресла.

— Мы томимся от желания узнать, что сегодня будет нашим уроком.

Лицо Зары озарила довольная улыбка.

— Это будет отличный урок. А вот сможешь ли ты его выдержать...

Она начала целовать меня, и все сомнения вылетели из головы.

Когда разгорался жар страсти, я всегда был повелителем. Я вел в бой свои войска и старался быть искусным любовником. Однако теперь, я понял, Зара была намерена поменяться ролями. Она неторопливо привязывала меня к ложу. Глаза ее при этом довольно блестели — она радовалась тому, что сможет найти кое-что новое в старой как мир любовной игре.

Зара сказала:

— Я хочу смотреть в твои глаза, когда ты соединяешься со мной.

Эти слова так завели меня, что на миг я потерял способность и видеть и слышать.

Она продолжила:

— Но теперь мы поменяемся местами.

Она шепнула:

— Ты станешь моим рабом.

Услышав это слово, я едва не подскочил на месте. Откуда она могла знать, чего мне иногда хотелось, откуда она могла это угадать?

Она взяла в руки красно-желтую ленту.

— Мой слепой раб, — сказала она мягко, но властно, повязывая ленту на моих глазах.

Пока мои руки были свободны — но я чувствовал, что это ненадолго, — я обнял выпуклости ее грудей, натягивая ткань одеяния. А когда я потянулся к ложбинке между ними, она застонала. Я потерся небритой щекой о ее набухшие соски, стягивая ткань и обнажая тело.

Зара позволила лишь насладиться, но потом отвела мои руки.

— Странник, с этой минуты ты мой раб и будешь делать только то, чего я хочу, и тогда, когда я захочу.

Она коснулась моих губ сначала грудью, а потом животом; мне мучительно хотелось поцеловать ее соски, но она лишь дразнила, не позволяя ничего. Меня пронзило невероятно острое желание. Такое острое, что я не заметил, как она привязала кисти лентами к толстым прутьям в изголовье. Проверив прочность узлов, она принялась целовать все мое тело начиная с рук.

Желание жгло огнем, я стонал.

— Зара, ты меня убиваешь.

Та лишь рассмеялась в ответ.

— Я этого и добиваюсь, — сказала она, принимаясь за мою левую руку. Я изогнулся в ответ на ее изысканные ласки. Когда через несколько секунд она спустилась к моим чреслам, я начал стонать от невыносимого наслаждения и лишь умолял ее не останавливаться и позволить любить ее.

— Дай мне ласкать тебя.

Она резко сказала:

— Молчи! Или ты хочешь, чтобы я заткнула тебе рот кляпом?

Я покачал головой; внутри меня росло новое чувство. Мне все больше нравилась эта игра.

— Нет, прости. Я буду хорошо вести себя. Клянусь.

— Хм, — проронила Зара, проведя острым ноготком по внутренней поверхности бедра и останавливаясь у основания жезла страсти, что нетерпеливо высился, томимый странной игрой.

— Не знаю, могу ли тебе верить, — сказала она; ее прикосновения мучили меня так, словно я был охвачен огнем. — Кто твоя госпожа? — жестко спросила моя строгая наставница.

— Ты, — ответил я.

Зара обвила мой жезл пальцами:

— А кто мой раб?

Я замер, не в силах пошевельнуться.

Она наклонилась к моему телу, и я почувствовал тепло ее дыхания.

— Я спросила, Мореход, кто мой раб?

— Я, — со стоном отозвался я. — Я сделаю для тебя все, все, что ты пожелаешь.

Спустя секунду она оседлала мою грудь. Теперь я отчаянно хотел ласкать ее сочащееся соками лоно: ее запах сводил меня с ума.

— Я освобожу одну твою руку, но ты должен пообещать мне, что не отступишь ни на шаг от моих приказов.

Я кивнул.

— Обещаю, госпожа.

Сейчас я был готов на все, лишь бы она позволила коснуться себя, ощутить ее вкус на моих губах. Я задрожал от предвкушения того, что мне предстоит. Зара, казалось, получала особое удовольствие от своей роли.

— Я так жажду наслаждения, — сказала она, разводя ноги на моей груди. Теперь ее аромат стал еще сильнее. Она приложила палец к моим губам.

— Погладь меня, раб.

Она направила мою руку к своим бедрам.

— Вот здесь, — сказала она.

Я начал гладить внутреннюю часть ее ног, подбираясь все ближе к тому заветному холмику, где прятался цветок наслаждения. Она, откинувшись назад, позволяла мне все более и более смелые ласки, затем словно нехотя отвязала вторую руку.

Не дав ей опомниться, я обхватил ее и придвинул к себе, чтобы насытиться вкусом ее соков. Она вздохнула, когда я жадно набросился на ее лоно, наслаждаясь и скользя языком в теплых изгибах.

— О да, еще, еще! — кричала она, и волна страсти накрыла ее.

Я пил ее удовольствие и первый раз в жизни ощутил, что мне хочется чужого удовольствия, как если бы речь шла обо мне самом. У меня не было времени понять, что происходит, потому что в следующий момент Зара уже снова привязывала мои руки.

— Хороший раб, — сказала она, наклонившись и поцеловав с такой страстью, какой я не мог припомнить.

— Ты пахнешь моей страстью, — пробормотала она, покусывая мою нижнюю губу.

Она впилась в губы жестоким, почти мучительным поцелуем. У меня перехватило дух. Аллах всемогущий, дай мне силы пережить такое! Я забыл обо всем на свете, желая лишь одного — продолжения этой неведомой ранее, но такой сладкой муки. Ее губы скользнули вниз по груди, остановившись на сосках. Через мгновение она осчастливила меня прикосновением к стержню страсти. Я был готов излиться в ту же минуту.

— Зара, — прошептал я, — не могу...

— Нет, ты можешь, — сказала она и наконец села на меня верхом.

Уже приближаясь к пику, я ощутил, что оказался в самой горячей пещере, которую только мог представить. Она двигалась так

ритмично, что уже через минуту я словно впал в забытье.

Для меня в этот момент не существовало ничего, кроме ее волшебного лона, которое дарило незабываемые ощущения. До меня доносился ее протяжный стон, но я не мог оторваться от ее груди, словно жаждущий материнского молока младенец. Я извергался горячей лавой, не заботясь ни о чем, не желая упустить хотя бы мгновение этого необыкновенного урока страсти. Все остановилось, и я, казалось, не знал, как дышать. Зара освободила мои руки, и наши тела слились в едином порыве. Я крепко прижимал ее к себе...

Утро нового дня стало для меня утром нового взгляда на быстротекущую жизнь. И этот новый взгляд подарила мне Зара. Поминутно вспоминая ночной урок, я все более убеждался в равенстве мужчин и женщин, в величии того дара, который дает женщина мужчине, становясь его женой и отдавая ему без остатка всю себя.

Для визиря же пролетевший год стал годом бесконечных открытий. Он много раз говорил мне, что никогда не встречал утро так радостно, что никогда еще школярство не казалось ему столь сладким. Фарух молчал. Но на его лице лежала печаль. Такая же печаль все чаще омрачала и лицо нашей прекрасной учительницы сказок и преданий. Когда я спросил об этом своего давнего друга, Фарух мне сказал:

— Да, Синдбад, мудрый Синдбад, ты прав! Чем дольше мы здесь, чем больше я узнаю прекрасную Шахразаду, тем горше мне думать о том дне, когда покинем мы гостеприимный Чиао-линь. Ведь тогда придется мне расстаться с Шахразадой, светочем очей моих и душой мудрости. И она тоже печалится, когда думает об этом дне.

— Но, друг мой, ведь мы же еще не собираемся покидать древнюю Атлантиду, что же сейчас думать о расставании?

— Я думаю об этом все время, когда не вижу мою звезду... Но скажи мне, Синдбад, а когда мы покинем приют мудрости?

— Не знаю, Фарух, сейчас я вижу лишь, что мы познали ничтожно мало. Я понимаю, что мы до сих не нашли той мудрости, о которой смогли бы рассказать халифу...

— Синдбад, подумай сам. Ведь мы здесь можем остаться навсегда! Ибо чем более мы узнаем, тем более понимаем, что наше незнание куда огромнее, чем наше знание. Это же настоящая ловушка! Погоня за каждой новой идеей, за блестящим расчетом, за точным анализом движения светил бесконечна. Мы же никогда не сможем отсюда выбраться!

Я задумался о словах своего друга. Да, наши прекрасные учительницы каждый день говорили нам это. И только сейчас я начал понимать, что они и в самом деле искусно заманили нас в западню. Даже пожелай мы остановиться, у нас уже не было бы шанса — погоня за знаниями оказалось самой увлекательной из погонь, доступных человеку.

— Что же нам делать, Фарух?

— Нам надо бежать отсюда, Синдбад. Бежать сейчас, пока еще не вся душа отдана этим коварным женщинам. Пока у нас есть еще хоть капля сил, чтобы сопротивляться соблазну нового знания.

В тот же вечер я заговорил об этом с визирем. Абу Алам слушал меня очень внимательно, не перебивая. А выслушав, сказал:

— Любезный Синдбад, я и сам давно уже замечаю это. Наши прекрасные хозяйки, полагаю, совершенно сознательно заманили нас сюда. Они ничего от нас не скрывают именно потому, что считают, что мы отсюда никогда не сбежим. И боюсь, что так оно и есть. Я говорю тебе эти слова, но в моей душе ничто не кричит о долге перед халифом, мне хочется лишь нового дня ученичества...

— Что же нам делать, премудрый визирь?

— Боюсь, что Фарух прав. Вам надо бежать... Вас ждут дома жены, дети. Вы дали слово халифу, да хранит его Аллах всемилостивейший и милосердный...

— Нам бежать? А тебе?

— Боюсь, что я увяз, как увязает пчела в сладком меде. Страшно мне говорить такое вслух, но чувствую, что это правда.

Я ушел от визиря опечаленный и встревоженный.

Прекрасная Зара, почувствовав, что со мной творится, пыталась меня отвлечь от тягостных мыслей. Но самые искусные ласки не могли развеять страшную мыслю о ловушке.

Утром я снова говорил об этом с Фарухом и визирем. И чем больше мы думали об этом, тем яснее понимали, что бегство — единственный выход. И печалился я лишь о твердой решимости нашего друга Абу Алама остаться здесь.

— Что ж, визирь, ты самый мудрый из нас. Твои решения для нас бесспорны. Но как же убежать нам?

— Об этом я еще не думал, друзья мои.

— А вот я подумал, — сказал Фарух. — Я говорил об этом сегодня ночью с Шахразадой, и она обещала нам помочь. Она отвлечет Софию и укажет путь по подземелью.

— Да будет с ней благодать! Но как же у нее хватит душевных сил расстаться с тобой?

— А вспомни то, что год назад говорила нам София — женщины мудрее и бескорыстнее мужчин. Они отдают себя любому делу, не требуя взамен ни благодарности, ни награды. Так же они относятся и к тем, кого любят — отдают себя, не требуя ничего взамен...

— Вот еще чего боюсь я, друзья. — Визирь задумчиво прошелся по дорожке. — Ведь прекрасные хозяйки этого места очень быстро обнаружат ваше исчезновение и попытаются вернуть нас.

— Зачем? Ведь они нас здесь не запирали. И никогда не говорили, что мы не сможем покинуть стены Чиао.

— Вспомни, Синдбад, уходил ли отсюда кто-нибудь?

Я замолчал. Нет, я не помнил, чтобы за эти стены ушел хоть один человек. Знания были сильнее замков.

— Что ж, значит, нам надо придумать такой план, чтобы нас не хватились как можно дольше. Скажи мне, Фарух, а твоя Шахразада ни разу не говорила тебе, что она мечтает сбежать отсюда?

— Нет, но много раз говорила, как тоскует по прекрасной родине, которую покинула так давно...

— Значит, она хочет покинуть это место... Тогда, наверное, вам придется взять ее с собой. А я останусь и постараюсь сделать так, чтобы ее отсутствия не заметили как можно дольше. Постараюсь хоть так отплатить прекрасной наставнице за ее самоотверженность.

План визиря оказался прост, но в то же время мудр. В тот час, когда мы должны были переодеваться, чтобы изучать на северной лужайке искусство боя с мечом, мы собрались вместе в комнате у Фаруха. Бледная, но настроенная очень решительно, Шахразада уже ждала нас там.

Девушка обменялась одеждой с визирем, и мы вчетвером поспешили к северной лужайке. Примерно на полдороге свернули к каменному идолу, что символизировал всевластие времени. Дважды ударила Шахразада о плиты подножия, и они бесшумно раздвинулись. Первой ступила в подземелье девушка, бросив благодарный взгляд на визиря. Затем Фарух обнялся с визирем и я, не в силах высказать благодарность мужеству Абу Алама, спустился в подземелье. Плиты начали смыкаться над нами.

— Прощайте, друзья, — услышал я голос визиря. — Поклонитесь прекрасной земле нашего халифа. Я постараюсь как можно дольше отвлекать Софию и ее помощниц.

Вам надо торопиться. Синдбад, помни, что я слышу твои мысли очень далеко и еще долго смогу говорить с тобой.

Каменный коридор был чистым, но все равно стало ясно, что им давно никто не пользуется. Мы бежали со всех ног, хотя еще и не понимали, от чего спасаемся. Шахразада показала вперед:

— Вон там коридор упирается в лабиринт. Если бы вы убегали без меня, здесь бы и остались. Сама София показала мне выход. Надо торопиться. Вместе с сумерками закроется и вход в подземелье.

«Спешите, Синдбад, — донесся до меня голос визиря. — Ваше исчезновение обнаружено. Теперь каждая минута на счету. Пока еще не заметили бегства Шахразады. Все думают, что она — это я. До темноты вам надо выбраться из подземелья. Если сможете — дальше только путь в порт. И домой...»

Столько тоски прозвучало в этом безмолвном прощании, что сердце мое сжалось. Не так, видно, легко далось визирю расставание. Не так сладок был мед знаний, чтобы остаться навсегда в неведомой земле...

Обогнув каменный лабиринт-ловушку, мы вскоре вышли из-под земли. Ни с чем не сравнимый запах моря яснее ясного говорил, что мы на берегу. Но как же нам пройти в порт? Как найти свой корабль (если его еще не утопили ленивые атланты)?

Оказалось, что мысли о будущем тревожат лишь меня. Мои же спутники все еще были там, в обители древних знаний.

— А как же Зара, Синдбад? — спросила Шахразада. — Ты не тоскуешь, расставшись с ней?

— Мое сердце, скажу тебе правду, словно разбито на две части. Одна из них болит и печалится, ведь Зара стала частью меня самого. Но другая часть рвется вперед — ей не терпится пересечь океан и вернуться в родной город, ибо там другая, прекраснейшая, самая самоотверженная на свете женщина.

— Значит, тебе и намного тяжелее, чем мне, и намного легче... — Шахразада задумчиво смотрела на море. — Я рада, что убежала из обители Чиао. Но мне страшен и еще один путь через океан. Мне страшно и то, что я буду делать, если Аллах милосердный все же позволит мне добраться до Багдада, обители правоверных.

— Очень даже известно. — Фарух нежно обнял стан прекрасной сказочницы. — Ты будешь моей женой, хранительницей моего дома и светом моей души.

— Я в этом не уверена. Ведь у тебя же полон дом наложниц — значит, есть среди них и та, с которой ты хотел бы разделить жизнь.

— У меня были наложницы. Но среди них не было той, что могла бы стать душой моего дома. А теперь есть ты...

Влюбленные замерли, обнявшись. В их глазах были слезы. Но мне пришлось нарушить их радость, может быть, в самый неподходящий момент.

— Поспешим же... Наш путь домой только начался.

Дорожка, выложенная черными каменными плитами, привела нас в порт, откуда более года назад все и началось. Я удивился

тому, что пристань никто не охраняет. Вдали покачивался на рейде и наш корабль.

— Скажи мне, Шахразада, а почему порт никто не охраняет? Почему нам так непросто было попасть на землю Атлантиды и так легко с нее убежать?

— Подумай сам, Синдбад. Ведь нынешние жители земли великих боятся нового более всего. Ведь если мир уже познан (как думают они), значит, ничего нового быть не может. Значит, надо закрыть входы в города просто для того, чтобы не появился чужеземец, который разрушит это заблуждение своими вопросами. А выход всегда открыт именно поэтому — чтобы чужеземцы не вошли внутрь страны и не нарушили хрупкое равновесие.

Итак, мы могли в любую минуту покинуть страшный берег. И тут до меня донесся голос визиря:

«Удивительно, Синдбад... София только что увидела, что я остался, а Шахразада сбежала. Она совсем не гневается. Мне даже показалось, что напротив, рада вашему побегу. Быть может, дело в том, что так вы сможете рассказать о том, что узнали, и значит, их труд не пропал попусту».

«А как же ты, визирь? Как мне объяснить халифу твое исчезновение?»

«Полагаю, халиф знал, что я могу не вернуться. Но ты же вернешь ему золотую байзу. И расскажешь все как было. Он поверит тебе. Наш халиф не легковерен, но мудр».

«Ты успокоил меня, визирь. Значит, мне предстоит самая простая часть — вернуться в Багдад и все без утайки рассказать халифу, да продлит Аллах его годы!»

Пока мы беседовали с визирем, Фарух успех обойти весь порт и найти не только лодку, чтобы добраться до нашего корабля, но и всю нашу команду. Надо сказать, что неволя, в которой содержались члены команды, показалась бы раем многим моим соплеменникам. Роскошные покои, вдоволь еды и вин. И лишь один запрет — покидать границы порта. Нашему появлению моряки обрадовались, но и изумились. Они были уверены, что никого из нас уже нет в живых, а им самим предстоит до конца дней оставаться пленниками древней земли.

Вот так случилось, что уже к вечеру мы покинули воды у берегов древней Атлантиды, которая оказалась не землей древней мудрости, а землей заблуждений. А всю мудрость столетий хранила лишь горстка прекрасных и мудрых женщин, у которых достало силы сохранить, но не было силы передать ее другому народу по другую сторону моря.

Прошел не один десяток дней, прежде чем мы увидели вдали скалу эль-Тарика, что знаменовала собой Геркулесовы столпы и вход в Серединное море. Жестокие штормы обошли наш корабль стороной, лишь волны слегка раскачивали его.

Долгие дни проводил я на палубе, любуясь неповторимыми красотами водной глади. Аллах даровал мне возможность вести неспешные беседы с визирем, который по-прежнему оставался учеником и пленником Софии и обители Чиао. Множество дотоле неизвестного узнал я в долгие часы безмолвных бесед. Визирь, мне казалось, все время что-то недоговаривал.

И лишь когда показались берега, населенные правоверными, он сказал мне:

«Вскоре ты увидишь прекрасный Багдад. Расскажи все, что увидел, халифу. Отдай ему байзу (к счастью, нам не пригодилась ее сила). Постарайся растолковать халифу, как вредно и страшно считать, что все знания уже получены. И передай ему от меня лишь одно: не стоит сидеть взаперти. Если халиф желает, он может открыть для себя весь свет, а суетность размышлений окружающих не отвлечет человека истинно великого».

«Прощай, мудрый визирь!»

«К счастью, нам можно сказать друг другу простое «до свидания». Ибо мудрые хозяйки обители Чиао даровали нам с тобой возможность беседовать везде, кроме подземного и подводного мира. Значит, впереди у нас много разговоров о великом и малом, прекрасном и уродливом. Да, я должен передать тебе и Фаруху просьбу Софии. Постарайтесь сделать так, чтобы сказки Шахразады стали известны халифу. Это станет подарком древней мудрости, которого он так жаждет».

«Но не станет ли Шахразада наложницей халифа?»

«Нет, женой шаха, и причем любимой, станет ее дочь — ее и Фаруха, — достойная наследница своих родителей. Ее имя останется в веках, а сказки, которые она расскажет, будут путешествовать между стран и веков несказанно долго. И многие поколения сказителей будут воспевать и вспоминать историю великой любви, которую поведает миру малышка, дочь великой мудрости и отчаянной храбрости».

«А что же будет с тобой, Абу Алам? Ты навсегда останешься в Атлантиде?»

«Вероятно, не навсегда. Ловушка бесконечных знаний сильна, но мир много больше. Быть может, когда-нибудь мы еще свидимся, Мореход...»

Я был полон надежды на эту встречу. Ибо визирь оказался человеком замечательным.

Вдали показался берег. Прекрасная Басра ждала путешественников. В этот раз с нами не было громоздких тюков, диковинных свитков, огромных клеток. А золотая байза нам помогла — мы попали в Багдад, словно сам халиф был с нами. И вот ворота дворца. Что мы сможем рассказать сейчас? Какие тайны нам удалось открыть, о чем поведать миру? И куда мы спрятали визиря? Почему глаза и уши халифа Гаруна-аль-Рашида остались так далеко от покоев повелителя Багдада?

Фарух решительно пресек мои колебания:

— Расскажи халифу все, что узнал, все, о чем думал. Рядом буду я. Рядом будет Шахразада. Халиф услышит истину наших слов.

Ворота дворца неспешно раскрылись, мы вошли внутрь... Вопросительный взгляд халифа встретил нас, и мы начали рассказывать все, что случилось за эти два с небольшим года. Не один кувшин воды мы осушили, пока вели речь, не раз повелитель посылал за фруктами, чтобы у нас достало сил закончить повесть.

Когда же я умолк, а за мной умолк и Фарух, халиф задумался. Медленно уложил в футляр золотую байзу и сказал:

— Вы выполнили наше повеление. Вы привезли нашему величеству нечто более ценное, чем новое знание. А теперь мы будем думать о том, что вы рассказали. Тебе же, Фарух, по прошествии месяца после свадьбы (ибо я предвижу скорую свадьбу), я повелеваю каждый день приглашать в дом писца и записывать новый рассказ твоей жены.

Халиф отвернулся в окну, а мы, низко поклонившись, вышли в сад.

«Вот так, Синдбад, — прозвучал слышный только мне голос визиря, — наш халиф мудр и видит правду».

«А ты, визирь, — какая правда открылась тебе?»

«Меня ждет новое странствие, Мореход. Но к вам я не вернусь. Отшельники и отшельницы обители Чиао решили отправиться туда, где, они надеются, их знания будут нужнее, чем на древней земле Атлантиды, забывшей радость познания. Вскоре нам откроется новая земля, где живут удивительные краснокожие люди и где мы выстроим прекрасный город мудрости, что будет террасами возвышаться над миром и славить Аллаха всемилостивейшего, что дарует жаждущим возможность познания. Меня же ждет горькая и гордая судьба. По словам Софии, мне предстоит стать великим властителем и увидеть закат народа, что примет нас, носителей древнего знания. София же будет моей душой и моим сердцем».

«Значит, у нас впереди еще много бесед. Счастья тебе, визирь. Не забывай нас, жителей Багдада, обители правоверных».

С легкой душой, не беспокоящийся более о своих друзьях, спешил я к дому, где ждала меня прекраснейшая из дочерей человеческих и самые лучшие дети из детей всего мира.

Но оказалось, что мое шестое путешествие богаче сюрпризами, чем я ожидал. Еще одна радость ждала меня на пороге дома. Третий ребенок, маленький Сулейман, который родился через полгода после того, как мы отправились в странствие. Мудрая жена мне не говорила о том, что я вскоре стану отцом, — уже тогда она предчувствовала мой отъезд. Но теперь Аллах вознаградил меня куда более щедро, чем я смел надеяться.

Вот так закончилось мое шестое путешествие. В нем было все: и потеря надежды, и ее обретение. Горечь утраты и радости любви.

* * *

Мореход умолк. Молчали гости, обдумывая честный рассказ хозяина. Синдбад-ученик исписал весь огромный пергамент и еще один (радуясь в душе, что захватил и его с собой). Смолкли даже звуки короля музыкальных инструментов — уда, что поет подобно голосу ребенка.

— Возблагодарим же Аллаха всемилостивейшего за те дары и знания, что посылает он нам в великой мудрости своей. Простимся на сегодня. А завтра, если судьбе будет угодно, я расскажу о седьмом путешествии. Ибо оно стало последним странствием и суровым испытанием.

Синдбад Мореход повелел дать ученику сто мискалей, как всегда.

— Завтра ты придешь ко мне, ученик, с новым пергаментом, черными, чернее ночи чернилами, и запишешь всю историю седьмого путешествия. И, если позволит Аллах, день этот станет последним днем твоего ученичества.

Простимся же и возблагодарим Аллаха всемилостивейшего за дары и благосклонность.

Ученик, поклонившись, ушел. А Мореход наконец смог обратить взоры к той, что всегда была рядом с ним и каждый день дарила счастье любви.

Макама седьмая

Седьмой день ученичества начался для Синдбада-носильщика с пронзительного крика: «Спите, жители Багдада! В Багдаде все спокойно!» Рассвет только занимался, и ночная стража обходила город.

До встречи с Мореходом было еще много времени, но ученику не спалось. На свободном клочке пергамента, где записывал он историю шестого странствия, Синдбад набросал стихотворные строки, которые приснились ему этой ночью. Перечитав еще раз то, что получилось, ученик подумал: «Мы не знаем завтрашней судьбы, а потому не стоит и печалиться. Ведь день может нам принести и горе и радость, и счастье и потерю... Да воссияет над нами мудрость Аллаха, который дарует новый день и заполняет его заботами сообразно нашим силам!»

Словно камень упал с души ученика. Он уснул и видел во сне чудовищ и красавиц, моря и горы. А проснувшись, решил, что, окончив ученичество, наймется писцом на корабль купцов, чтобы своими глазами увидеть мир, а не довольствоваться только рассказами.

В тот час, когда жар Солнца сменил ласку Луны, во двор Синдбада-Морехода ступил его ученик. Огромный пергамент и чернила были при нем. Была при нем и уверенность, что именно в этот вечер найдет он ответ на свои вопросы и поймет, как сделать шаг в тот мир, о котором столько слышал от Морехода. Нежное пение струн, дружеские голоса — все это стало привычным. Как и прекрасный рассказчик, радушный хозяин дома Синдбад-Мореход.

Гости утолили голод, новые кувшины с необыкновенными винами появились на богато инкрустированных столиках. Ученик расположился в уютном углу возле яркой лампы. Хозяин дома поудобнее расположился на подушках и начал...

...Рассказ о седьмом путешествии

Итак, братья, я вернулся в Багдад к жене, детям и повседневным заботам. Дни превращались в месяцы, те слагались в годы. На исходе второго года город облетела удивительная весть: наш халиф покинул пределы дворца и шествует по городу! Удивлению нашему не было предела. Даже водоносы, люди неутомимые, но лишенные воображения, в изумлении останавливались, чтобы насладиться небывалым зрелищем.

Халиф открывал для себя свой город.

Моя премудрая жена заметила:

— Халиф начал путь у своего дома... А закончит его у дверей нашего. В этот раз я не могу сказать, отправишься ли ты в странствие, но знаю одно: если суждено тебе путешествие — оно будет последним. Более халиф не станет требовать твоей службы.

Жена меня утешила, но и заставила задуматься. Годы брали свое, и теперь мне уже хотелось радоваться жизни и наблюдать, как взрослеют дети, а не открывать для халифа новые загадки.

Моя прекрасная и мудрая Лейла, конечно, оказалась права. Музыка приближалась. Закричали глашатаи. Ворота распахнулись... И вошел халиф. Я знал, что Гарун-аль-Рашид мой сверстник. В его покоях он всегда казался мне человеком пожилым, согбенным заботами и томимым неясной жаждой. Сейчас же, при ясном свете дня, я увидел, что в самом деле он совсем не стар — на щеках его играл слабый румянец, обычно полуприкрытые глаза сверкали, как темные алмазы, руки, перебиравшие четки, были молоды и сильны.

— Мир дому сему! Да хранит Аллах его обитателей!

— Мир и тебе, повелитель правоверных!

Я поклонился и жестом пригласил халифа в увитую виноградом беседку. (Замечу, что за те несколько мгновений, что мы раскланивались и приветствовали друг друга, в беседке появились яства и питье, — похоже, моя жена все-таки джинния...)

— Присядем же в тени и насладимся яствами и беседой.

Халиф пригубил чашу. Глаза его с интересом рассматривали все вокруг. Конечно, мой дом был не самым бедным, но все же разительно отличался от покоев Гаруна-аль-Рашида. Я молчал, ожидая, когда владыка изволит заговорить.

— Как уютно у тебя, Синдбад... А где же твои детишки?

— Мне приятна твоя похвала, о халиф. Малыши сейчас с матерью. В этот час она всегда их обучает. Кроме крохи Сулеймана, конечно. Он еще слишком мал, чтобы овладевать счетом и письмом. Но он вместе со старшими. Нет в этом мире более любопытного существа, чем мой сыночек. Он...

Я замолчал, поняв, что, подобно всякому родителю, могу говорить о детях часами, но, вероятно, делать этого все же не следует. Ибо ясно, что халиф спросил просто из вежливости и просто не знает, как заговорить о деле... Но я зря приписывал халифу собственные мысли.

— Благодарим тебя, Синдбад, за твою верную службу. Сейчас мы пришли просить тебя о последнем путешествии. Да, мы ведаем, тебе уже не мил дух странствий. Твой дом лучше тебя говорит о том, где его хозяину хочется проводить и дни и ночи. И потому мы сами решили просить тебя.

— Благородный халиф, я всегда к твоим услугам, даже если ты захочешь, чтобы я снарядил путешествие на Луну...

— Ну что ты, Мореход, так далеко мы не попросим тебя отправляться. Да и что там делать? — улыбнулся халиф.

Я поклонился, приложив руку к сердцу. Это был не просто благородный жест. Не зная еще, чего потребует от меня владыка, я волновался так сильно, что сердце готово было выскочить из груди. И мне показалось, что так я смогу его придержать.

— Скажи мне, Синдбад, беседуешь ли ты иногда с нашим мудрым визирем?

Я молчал, взвешивая, что ответить.

— Да, мой повелитель, иногда мы с ним обмениваемся мыслями, — решился наконец я.

— Я рад. Значит, в новом деле у нас будет не один мудрый советчик...

«В новом деле»? Мне становилось все беспокойнее. Что теперь задумал наш халиф?

— Так вот, Синдбад. О нашем путешествии. Ибо в это путешествие мы намерены отправиться вместе с тобой. Мудрость, крохи которой ты привез из древней земли, советует, чтобы мы не прятались за стенами дворца. Мы можем увидеть весь мир и сами найти то, что нас тревожит или интересует. Поэтому сейчас мы отправимся в странствие вместе с тобой. Ибо лучшего проводника, чем ты, нам не найти. Но и путь нам предстоит тяжелый, а быть может, и долгий. Ибо мы собираемся отправиться в далекую страну Пунт за эликсиром любви.

— За эликсиром любви?

Почему именно эликсир любви оказался нужен нашему халифу, понять я не мог. Его уважали подданные. Его наложницы по праву считались самыми прекрасными женщинами мира... Чего же еще недостает халифу? Кого он хочет опоить этим эликсиром?

— Да, Синдбад. Это может показаться странным, но мы хотим отправиться за эликсиром любви. Ибо чувствуем, что внутри подобны самому твердому камню. Нами всегда двигало только любопытство. Но и оно сейчас спит... Быть может, если мы пригубим эликсир любви, то сможем увидеть то, что скрыто от нас. Сможем любить самое жизнь, как любишь ее ты... Как любит ее наш мудрый визирь, где бы он сейчас ни был...

Мне оставалось только поклониться, соглашаясь. Значит, теперь нас ждет страна Пунт, что лежит на полдень от черной земли Кемет. Пора готовиться в дорогу. К счастью, сейчас можно не искать корабль, ибо говорят, что туда можно отправиться по суше... Но быть может, я слишком тороплюсь? Возможно, и наш халиф уже начал дорожные сборы?

Оказалось, что начал.

— Мы отправимся с караваном, что огибает Серединное море. Мы принесли тебе золотую байзу, ибо ты будешь нашим предводителем.

— Но ведь ты же сам, о великий, отправляешься вместе с нами?!

— Мы не хотим, чтобы кто-то об этом знал. Ибо все будут думать, что мое величество по-прежнему пленник своего дворца, вернее, что мы по-прежнему обитаем в нем. Что-то нам подсказывает, что не надо показывать свое истинное лицо раньше времени.

— Слушаю и повинуюсь. Позволишь ли ты мне взять с собой спутников? Или будешь искать их сам?

— С этого мгновения ты наш предводитель. Собирай спутников, командуй закупкой припасов, ищи караванщика, которому доверяешь. Мы не будем ограничивать тебя ни в чем, не будем вмешиваться. Просим лишь, чтобы в странствие мы отправились не позже следующего месяца. Надеюсь, что тебе этот срок покажется достаточным.

— Да, я постараюсь все успеть. Но у меня есть одна просьба. Ты разрешишь высказать ее, повелитель?

— Да, конечно, — теперь любопытство одолело халифа. Думаю, он терялся в догадках, пытаясь угадать, какой я буду просить награды за такое путешествие...

— Великий, тебе придется говорить о себе не «мы», а «я». Иначе все сразу поймут, кто путешествует в этот раз с Синдбадом-Мореходом.

— Мудрые слова. Я постараюсь не выдать себя. Так правильно?

— Да, великий.

Халиф поднялся с подушек.

— Я жду от тебя гонца, Синдбад. Благодарю за гостеприимство. Да воссияет солнце здравия и богатства над твоим домом, Мореход!

Гарун-аль-Рашид покинул мой дом, затих шум шествия, умолкли крики глашатаев.

Я вошел к жене. Дети старательно скрипели перьями, самый младший складывал палочки — считал. Лейла подняла на меня встревоженные глаза.

Не утаивая мыслей, я рассказал ей все. Моя жена погрузилась в раздумья. Я же принялся наблюдать за тем, как трудятся наши малыши.

— Это путешествие и опасно и почетно. Путь предстоит длинный, но изведанный. А вот поиски могут занять слишком много времени, и неизвестно, будут ли они успешны. Я не предчувствую беды, хотя кажется мне, что это путешествие будет самым долгим из всех... В одном ты, мой муж и повелитель, можешь не сомневаться: здесь тебя будут ждать неустанно.

Я взял руки жены в свои ладони и поцеловал каждый пальчик. Ибо счастье, которое она мне подарила, согласившись стать хозяйкой моего дома и матерью моих детей, было столь велико, что выразить благодарность иначе я не мог.

Дни бежали как минуты. В суете прошел месяц. Но я смог подготовиться к странствию так тщательно, как никогда ранее. Радость мне доставил и Фарух, согласившись и сейчас отправиться со мной.

У них с Шахразадой росли сыночек и дочка. И мой друг решился оставить семью, чтобы вновь стать моим верным спутником в странствии... неизвестно за чем.

— Синдбад, но я же солдат, боюсь, мне не удастся быть достаточно почтительным с халифом...

— Байза у меня, и предводитель каравана я. Значит, халифу придется терпеть все то, что будем терпеть и мы. И выходит, что никакой разницы между тобой и нашим повелителем быть не может. Не достанется ему более быстроходный верблюд, а его кошма не будет мягче твоей...

Итак, не позже назначенного халифом часа мы выступили. Гарун-аль-Рашид стал Сулейманом и повелел нам обращаться с ним не почтительнее, чем с любым другим спутником.

Верблюды неторопливо отмеряли фарсахи[18] один за другим. День сменяла ночь, а затем снова рождался день... Мы шли через оазисы и пустынные степи, старались не удаляться от проторенных путей, ибо целью нашей были не стычки с разбойниками, а поиск неизведанного.

Как-то вечером, устроившись на кошме у костра, я беседовал с халифом. Скажу сразу, что для многолетнего пленника роскошного дворца в походе он держался неплохо, но все же путешествие доставляло ему множество неприятных минут. Увидев, что халиф не слишком изнурен дорогой, я осмелился спросить:

— Так что же это за эликсир любви? И откуда ты узнал о нем, халиф... ох, Сулейман?

— Об эликсире этом я узнал от путешественника, который бывал и в стране Кемет, и в стране Пунт. Он рассказывал, что Пунт — удивительное место, богатое пряностями, дивными деревьями, там живут прекрасные женщины и мудрые правители. Говорил путешественник и о том, что в заброшенном селении у самых гор живет колдунья, которой ведомы многие тайны. Одна из них — рецепт эликсира любви. По слухам, этот эликсир она варит из тысячи трав и двух тысяч вод разных источников.

— Да, я тоже слышал о таком. Но ты хочешь отведать его сам... Не боишься ли ты, что тебя отравит какая-то колдунья?

— Знаешь, Синдбад, я видел в этом мире так много, что смогу отличить колдунью от самозванки, а напиток счастья от яда...

В этом я сомневался. И потому, что настоящая колдунья, наверное, обитает только в сказках, а не в заброшенных селениях, и потому, что не знал, сколько же чудес видел халиф на самом деле.

— И что мы будем делать, если и в самом деле найдем колдунью?

— Я попрошу у нее немного эликсира для себя — ведь мне хочется полюбить мир, найти в нем новые радости.

— Ну что ж, ха... Сулейман, если ты уже все решил, тогда, думаю, нам надо просто пересечь страну Кемет, знойную пустыню у моря, найти горы, у подножия которых живет колдунья, и попросить у нее эликсир.

Так мы и поступили... День за днем наши верблюды оставляли позади оазисы и пустыни, предместья и деревни. Иногда до меня долетал голос визиря. Он, конечно, знал, что я опять странствую, как знал и то, что теперь мой спутник — сам халиф. Я благословил тот день, когда услышал от него слова: «Нелегкое путешествие и тяжелая ноша... Но как только тебе понадобится мой совет, я приду на помощь». Ибо совет, данный в нужную минуту, иногда значительно ценнее всех благ мира.

Вот так, неспешно, караван добрался до южной границы страны Кемет. Мы давно покинули обитаемые места, и далеко ли до страны Пунт, толком не знали, а потому пытались решить, как же быть дальше. Близился вечер. Мы разбили шатры и разожгли костер.

— Надо искать проводника, — проговорил задумчиво Фарух. — Без него мы будем плутать не один десяток лет, но так ничего и не найдем. Если ха... Сулейман изволит разрешить, я утром отправлюсь на поиски человека, который сможет нас проводить в страну Пунт.

— Но может быть, мы уже добрались до этой неведомой страны. Ведь мы же не первые путешественники, которые ищут дорогу к дарам этой благословенной земли.

— Значит, проводнику мы заплатим намного меньше.

— Да будет так. Фарух завтра поищет проводника в селении, которое мы оставили позади. А когда доберемся до страны Пунт или, если повезет, до гор на полудень от нее, решим, как же нам искать ту, что варит эликсир, и о чем ее просить.

Глухое покрывало ночи опустилось на лагерь. Спали все. Уснули даже верблюды, которые, казалось, никогда не смыкали глаз. Было что-то странное в этом сне. Быть может, то чары колдуньи начали действовать. Или страна Пунт решила испытать нас, проверив, кто мы и чего стоим...

И снился мне сон. Странный и непривычный для меня. Грезилась мне наложница, которая преподала мне первый урок ласки. Вот только у этой женщины было другое лицо — лицо чересчур взрослое и, пожалуй, слишком суровое. Она словно не учила меня, а проверяла, все ли я помню, все ли теперь умею. Будто я сдавал экзамен.

Это было в теплом бассейне турецкой бани. Но пахло не водой и мылом, а почему-то сухой и жаркой степью, полынью и горечью диких трав. И стены у этой бани были чудны́е, словно не руки человеческие сложили мыльни, а природа возвела каменные стены вокруг нас.

Мы мылись, вернее, она меня мыла, скользя в пене руками по моему напрягшемуся телу... Поглаживая мое мужское достоинство мыльной рукой, она приговаривала:

— Бог мой, Синдбад, ты так хорош, но так неопытен и робок...

Она отыскала в мокрых спутанных волосах на груди мой сосок и несколько раз лизнула его.

Я прижал ее голову к своей груди, и мы оба оказались под струей теплой воды.

— О нет, желанная, я не робок, а сейчас я хочу взять тебя сзади...

Я стоял у нее за спиной. Одной рукой я взял ее грудь; вода и моя ладонь гладили ее тело. Другая ладонь скользнула у нее между ног, и я стал ласкать ее.

Было невероятно сладостно ощущать прикосновение ее гладких и скользких бедер. Я продолжал ласкать ее. Вода накрывала нас, смывая все, что нас окружало. Мы растворились друг в друге. Наложница двигалась медленно и плавно, охваченная гипнозом животной страсти, и я двигался вместе с ней. Мы оба жадно ловили ощущения, которые дарили друг другу.

Когда ее накрыло волной страсти, она воскликнула со стоном:

— О да, сильный Синдбад, да!

Я крепко прижал ее к себе. Если бы это было возможно, я бы полностью поглотил ее, так сильно было мое желание сделать ее частью меня самого.

Я продолжал входить в нее сзади, чувствуя приближение своего пика. Но в тот момент, когда он вот-вот должен был наступить, видение исчезло, и лишь боль в чреслах напоминала о странном сновидении.

Утро принесло успокоение. Но странный сон почему-то лишил меня сил. Хмурым вышел к ручейку и Фарух.

— Эта проклятая земля меня просто измучила. Поверь, Синдбад, я взрослый мужчина, муж и отец, но сегодня видел такой страшный сон, что теперь думаю, здоров ли мой разум...

— Что тебе снилось, Фарух? — В голосе моем помимо воли прозвучало слишком много интереса, и мой друг посмотрел на меня очень пристально, слишком пристально даже для разговора старых друзей.

— Почему ты так спросил?

— Расскажи, а потом расскажу и я.

— Так знай: снилась мне моя первая женщина. Варварка из северной земли. Познал я ее в завоеванном городе, куда попал с ромейской алой. В те дни я был молод и неопытен. А она оказалась служительницей древнего культа. Богиня, которой она отдавала силы, опекала любовь душевную и телесную. Варварка и дала мне первый урок любви и страсти. Тогда, помню, я был словно слепой котенок, мне не хватало ни опыта, ни знаний. Я пытался овладеть ею сразу же... Сделал больно ей, ощутил невероятную боль сам... И сейчас, во сне, все повторилось сначала. От первого прикосновения к ее телу до того мига, когда я излил свое семя в ее жаркое лоно... Вот только лицо у нее было другое...

— Какое? Какое лицо было у этой женщины из сна? — Меня охватило нетерпение.

— Оно было... словно другим. Старше, суровее... Мне показалось, что я не в нежных женских объятиях, а перед зеркалом собственных мальчишеских страхов.

— Расскажи мне, Фарух, как она выглядела, прошу!

— Ну... Она старше тебя и меня сегодняшних. Длинные черные косы... Узкое лицо, оливковая кожа, огромные глаза, страшные и нежные одновременно.

— Ты видел, что было вокруг?

— Храм... Нет, не храм. Это было похоже на пещеру... Плясал огонь факела... Под нами был помост, накрытый шкурами. От них пахло полынью, сухими травами, жаром степи...

Да, стало ясно, что во сне мы видели нечто схожее. Женщина была та же, что пригрезилась мне. И мысли у нас оказались очень близкими. И оба мы кроме наслаждения испытали стыд, и горечь...

Возле шатра показался халиф. Глаза его горели, и более всего он был похож на мальчишку, нашедшего удивительную вещь...

— Что за сон я видел сегодня! Прекраснейшая из женщин учила меня любви! Словно я уже отведал эликсира. Сейчас я вижу мир иначе, словно протерли зеркало и теперь в нем отражается не серая стена, а радужный шар...

Мы с Фарухом переглянулись. Сон, похоже, был непростым. Это и вправду испытание. Кто-то искал душу, готовую очиститься, увидеть все новыми глазами. Душу, уставшую от серости и жаждущую новых впечатлений.

— Знаешь, Синдбад, — нарушил молчание Фарух, — похоже, мне не нужно идти за проводником. Я чувствую, что мы уже совсем близко.

— Думаю, друг мой, ты прав. Но надо в этом все же убедиться окончательно. Давай останемся здесь, у ручья, еще на день. А завтра утром подумаем, что делать дальше.

Честно говоря, я надеялся, что мне удастся побеседовать с визирем. Как бы далеко он ни был, сейчас его мудрое слово было мне просто необходимо.

«Можешь ли ты поговорить со мной, о мудрый визирь?»

«Да, Синдбад, я готов отвечать на твои вопросы. Что-то мне подсказывает, что сегодня тебе понадобится если не мой совет, то мое сочувствие».

«Скажи мне, Абу Алам, слышал ли ты об эликсире любви? Говорила ли тебе София хоть раз о колдунье, которую мы пытаемся найти?»

«Да, я об этом слышал. Но не от Софии. Для знаний древней Атлантиды это слишком... слишком неинтересно. Тайны человеческих чувств они изведали намного глубже. А тут просто колдунья, которой ведомы пути возрождения радости жизни...»

«Значит, она существует? Значит, наши сны — это ее рук дело? Она искала среди нас кого-то?»

«Искала и нашла. Ведь ты сам видел, каким вышел из шатра наш повелитель...»

«Тогда подскажи, как нам добраться до жилища колдуньи? Как найти ее обиталище?»

«Мой совет очень простой: не идите никуда. Думаю, очень скоро вы получите знак, и тогда путь откроется сам...»

«И еще одно скажи мне, о мудрый визирь. Ожидать ли нам опасности, готовиться ли отразить ее?»

«Ты рассмешил меня, Синдбад. С вами же Фарух! Этот человек всегда готов сразиться, своим телом защитить друзей от любого врага. Я думаю, что опасность будет исходить не от колдуньи или ее охраны, а от вас самих. Не бойтесь, но и не нападайте. Любое неверное движение превратит эликсир жизни в яд отвращения к миру».

«Спасибо тебе, мой мудрый друг. Как жаль, что мы так далеки сейчас...»

«Мы не дальше, чем были в Багдаде. Я, похоже, все время чувствую вас. Аллах всемилостивый даровал мне возможность видеть твоими глазами и слышать твоими ушами. Для этого надо только сосредоточиться. Поэтому если захочешь, чтобы я оказался рядом, просто подумай обо мне... А сейчас прощай. Я жду твоего зова.

Да хранит тебя небесный свод! Да будет день ваш лучше ночи!»

И голос визиря пропал. Но теперь со мной была уверенность.

Весь день мы провели с Фарухом, прогуливаясь вокруг лагеря и беседуя. Годы юности и общие воспоминания заставили нас почувствовать себя моложе. Мудрость зрелого возраста позволила во многом увидеть смешное и нелепое, хотя в те далекие времена многие вещи казались страшнее и трагичнее. Халиф размышлял, сидя у шатра. Ветерок играл краем его чалмы и полами шелкового халата.

Увидев нас, он поднялся и сказал:

— Я думаю, мы достигли цели путешествия.

— Да, халиф, мы тоже так думаем. И визирь склоняется к той же мысли.

— И что же он советует делать?

— Визирь не знает. Он сказал, что разумнее всего не делать ничего. И враг, и друг себя покажут. А потому мы с Фарухом обошли окрестности и осмотрелись. Если мы останемся здесь хотя бы на несколько дней, неплохо бы изучить окрестности.

— Это мудрые слова и осмотрительные поступки.

Тихо спускался вечер. Мы беседовали вполголоса, а Фарух наблюдал за горизонтом. Больше всего он напоминал хищника, который ловит все звуки вокруг и читает их как книгу.

Внезапно он привстал и сделал крадучись несколько шагов от костра. Мы замолчали. Мгновения тишины прервались шорохом шагов. И вот уже у костра оказался мальчишка, черноволосый и чернокожий, и заговорил бойко и смело:

— Да хранит Аллах всемилостивейший и милосердный уважаемых странников! Да пролетят ваши дни в достатке и спокойствии!

— Здравствуй и ты, отрок! — Наш халиф оказался самым уравновешенным. Я же не мог сказать и слова, так поразило меня появление этого чернокожего ребенка.

— Присядь у огня, вкуси наш хлеб и отдохни! Что привело тебя к нашим шатрам?

Спокойствие халифа было кажущимся. За долгие дни странствия я изучил каждую его черточку и теперь видел, что он напряжен как струна. Но показать посторонним недоумение, страх или нетерпение халиф не мог — не зря же его чтил весь правоверный мир как образец сдержанности и царственности.

— Благодарю вас, уважаемые! Но я прислан к вам моей госпожой, ведуньей здешних мест, какую люди зовут Махаббат, что значит любовь. Госпожа приглашает вас к себе.

— Благодарю тебя, отрок! Нам следует отправиться прямо сейчас?

— Она ждет вас в любое время. Особенно тебя, царственный! — Мальчишка указал на халифа.

— Ты ошибаешься, отрок! Я вовсе не царь. Такой же купец, как и мои спутники...

— Ты можешь обмануть кого угодно, но не мою госпожу. Она отлично знает, кто есть кто. И для этого ей не нужны глаза или уши. Она слышит мысли человека так же ясно, как я слышу слова.

— Что ж, отрок, тогда веди нас.

И мы, отдав распоряжения спутникам, втроем отправились за мальчишкой через сумеречную степь. Вскоре сгустилась тьма ночи. Но мы все шли.

— Как же ты видишь дорогу, отрок? — спросил я.

— Госпожа даровала мне зрение равно острое и днем и ночью. Она говорит, что так видят дикие кошки наших гор. Вы зовете их каракалами...

— Долго еще?

— Я уже заметил вход в пещеру. Сейчас придется подниматься в гору. Будьте осторожны, путники.

Никогда еще я не ощущал такого страха, как в те минуты подъема к убежищу колдуньи. Казалось, что бездонные пропасти разверзлись и слева и справа от нас, каждый неверный шаг мог стать шагом в пропасть. А паршивец-мальчишка продолжал карабкаться как ни в чем не бывало. Наконец показался свет, и мы, запыхавшись и измазавшись в пыли, очутились у костра. Вернее сказать, это был очаг, сложенный из грубых камней. Вокруг него стояли кувшины и простая глиняная посуда. У стен висели пучки трав. Опьяняющий их аромат сливался с запахом жаркой степи. Точно такая же пряная смесь чудилась мне во сне, о такой говорил Фарух. В отдалении я заметил ложе — помост, устланный шкурами. То самое ложе, о котором говорил мой друг. У огня дремал огромный узкомордый кот с длинными кисточками на черных ушах... Уж не тот ли каракал, которого упомянул мальчишка?

— Приветствую вас, странники! Что привело вас на окраины земли Пунт?

От очага поднялась высокая женщина. Длинные косы тонкими змеями чернели по обе стороны сурового лица. Оливковая кожа, огромные глаза, всеведающие и печальные. Стройный стан, сильные красивые руки... Но каждое движение говорило, что женщина эта многое видела в мире и много страдала. Несомненно, это была колдунья Махаббат, та, что сварит халифу напиток любви.

— Здравствуй и ты, мудрая Махаббат! Ты же знаешь, что привело нас сюда...

— Я знаю лишь, что один из вас жаждет просветления.

Халиф поклонился:

— Ты говоришь обо мне, о мудрая. Я жажду увидеть мир обновленными глазами. Мне было сказано, что здесь я найду эликсир любви, который пробудит к жизни мою спящую душу.

— Обычно эликсиром любви неразумные люди называют напиток, который вызывает страсть у того, кто его выпьет. Разве не разумнее было бы напоить эликсиром твою любимую? Ее чувства пробудят любовь и в тебе самом.

— Но если не пробудят? И мои глаза, по-прежнему прикрытые серой пеленой, не в силах будут видеть многоцветье мира, мой язык сможет ощущать лишь намек на вкус, не в силах постичь букет вина, а мое сердце способно будет чувствовать легкую привязанность, не способное зажечься крепкой дружбой... Тогда твой напиток будет сварен зря...

— Тогда, царственный гость, надо начать с того, что изучить твою душу.

— Я простой купец.

— Ах, халиф, повелитель правоверных... Седина уже посеребрила тебе виски, но ты по-прежнему юн и наивен. Никогда не следует недооценивать женщину. Каждая из нас видит так много и чувствует столь остро, что лгать неразумно. Сам же будешь себя потом за это корить. Мне не надо быть ни ведуньей, ни волшебницей, чтобы увидеть те знаки почтения, с которыми к тебе обращаются твои спутники. Нет необходимости прибегать к магии, чтобы заметить твою гордую осанку и задумчивый взгляд. У купцов взгляд другой. Это люди барыша. Они не любуются, а рассматривают, не видят, а оценивают, не считают, а рассчитывают.

Халиф склонил голову.

— Прости меня, о мудрая женщина.

— Ну что ж, гости, пора варить зелье. Вас, благородные спутники халифа, я рада видеть не менее, чем его. Эликсир любви зреет долго, и потому вам предстоит запастись терпением. Не одни сутки понадобятся нам для того, чтобы золотой напиток вышел на славу. Но если у нас достанет терпения, то получившееся сокровище будет достойно упоминания в легендах.

— Что же нам делать, о вседающая Махаббат? Как мы можем помочь тебе?

— Тебя, Синдбад-путешественник, я буду учить различать травы, и ты постигнешь искусство поиска целебных растений и составления зелий. Этим поможешь мне. А тебя, Фарух-воин, я научу различать воду ручьев и ручейков. От каждого из них мне понадобится дар — то капля влаги, то целый кувшин. В этом будет состоять твоя помощь. Малыш Рошан будет проводником по нашим горам. Не прячься за котом, проказник, я не сержусь на тебя. И не таскай Сахра за уши. Он терпелив, но справедлив.

Мальчишка отвернулся, но было видно, что он прислушивается, чтобы ни слова не пропустить из нашего разговора.

— Значит, гости, вы согласны терпеть до того дня, когда созреет золотой напиток?

— Сколько же нужно терпеть? — спросил халиф.

— Это зависит от многих мелочей. Иногда напиток рождается через луну, иногда через три луны. Но иногда он не рождается вовсе.

— Мы пришли за эликсиром и без него не уйдем.

Удивительно, но эти слова произнес Фарух. Ему-то напиток любви был вовсе не нужен. Но воин есть воин. Решительность отличала его с детства.

Женщина удовлетворенно улыбнулась. Волосы ее были черны, движения резки, но мелкие морщины выдавали немалый возраст.

— Что ж, гости, тогда возблагодарим Аллаха всемилостивейшего за ясный день и спокойную ночь. Мальчишка Рошан поможет вам устроиться в покоях, а завтра с утра мы приступим. Спите, и пусть сны ваши будут радостны.

И Махаббат наклонила голову, показывая, что разговор окончен.

Покои, куда отвел нас Рошан, были просто еще одной пещерой. Я с удивлением рассматривал прекрасные ковры и роскошные кувшины-кумганы, которые стояли у стены. Помещение было большим и уютным. Огонь в очаге горел ярко, но не коптил. Слабый запах хвои напоминал рощи корабельных сосен, что видел я у берегов Серединного моря. На помосте у стены заметил я свитки — неизбежные спутники знаний. Казалось, последний поворот головы забрал у меня остатки сил. Я упал на ложе и уснул, уподобившись камню.

Утро для нас наступило тогда, когда Рошан разбудил сначала Фаруха, а потом меня.

— Просыпайтесь, воины. До полудня осталось совсем мало времени. А через час после полудня нам предстоит первый выход за водой и травами.

У пещеры тек ручей, и мы умылись, завтраком послужила горсть урюка и медовые лепешки, которые мы запивали черным как ночь кофе — этот напиток мы возили с собой всегда. Тем более он нужен был нам сейчас, в этот поздний утренний час, который вот-вот должен был стать полуденным.

И вот в первый раз мы вышли за травами. Вместе с нами шла и Махаббат.

— Смотри, Синдбад. Вот это трава горечи — вы зовете ее полынью. А вот там растет трава слабости. Вот трава предательства — вам же она известна как подорожник, и вы лечите ею раны... А теперь, Фарух, твой урок.

Женщина повернулась и указала на черную скалу.

— Вот под этой скалой живет старая медянка. Она безвредна. А рядом с ее норой вытекает ручеек. Это вода тревоги. Мне понадобится шесть гран этой воды. Наполни чашу, да постарайся не расплескать, пока будем возвращаться к пещере.

— Но почему с нами нет нашего друга? — Я беспокоился о халифе, хотя видел, что он с аппетитом позавтракал.

— Он должен записать то, что помнит с первых лет своей жизни, вернуться к тем дням, когда он был просто мальчишкой, пусть и наследником престола. Попытаться вновь стать малышом...

Мы вернулись в пещеру. Халиф и в самом деле писал. Решил запечатлеть на пергаменте свои дневные впечатления и я.

Так прошел первый день. Я писал, Фарух, развернув свиток, читал о стране Пунт, которой мы так и не увидели. Халиф и Махаббат беседовали у выхода.

Проходили дни за днями. В полдень мы ходили по скалам и горам. Искали и собирали воды и травы. Иногда нас сопровождала колдунья, иногда только мальчишка Рошан. И всегда, возвращаясь, мы видели, что халиф что-то записывает или что-то вспоминает. Долгими вечерами, когда кипело зелье, Гарун-аль-Рашид и Махаббат беседовали у выхода из пещеры. Частенько мы выходили полюбоваться изумительными закатами, от которых все небо переливалось оттенками расплавленного металла. Наши ночи были тихи, а сон так крепок, будто мы были каторжанами на галере и засыпали после дня изнурительного труда на тяжелом военном судне.

Халиф же, беседуя с Махаббат, все чаще останавливался и всматривался в ее лицо долгим вопрошающим взглядом. Она в ответ смотрела в его глаза, будто отвечая на безмолвный вопрос.

Так настал день полнолуния.

Травы были найдены и погружены в непрестанно кипящий отвар. Фарух, изучив историю страны Пунт, занялся описанием побережья Серединного моря. А я поднял голову от записей и увидел чудо.

Халиф нежно гладил лицо колдуньи. И оно разглаживалось прямо под его ладонями. Исчезала немолодая женщина, плотнее становилась кожа, ярче глаза и нежнее голос. Слов мне слышно не было, но и так я понимал, что эти двое говорят о любви. Значит, эликсир все же родился.

Я оглянулся на своего друга, но он крепко спал, обняв книгу, как школяр. Мне же даны были лишь минуты, чтобы увидеть чудо рождения страсти, но я запомнил его навсегда.

Халиф нежно гладил лицо женщины, и под его руками появлялась прекраснотелая, румяная, молодая и полная жизни жаждущая красавица. Затем халиф долгим пытливым взглядом пронзил лицо прекраснейшей гурии и покрыл ее уста поцелуем.

Его губы ласкали ее, а руки играли в роскошных рассыпавшихся волосах. То, как он ласкал ее волосы, доставляло ей невероятное удовольствие; она лишь слегка покачивала головой, чтобы продлить радость.

Его поцелуй все длился — сначала он был грубым и властным, а потом нежным и ласковым, и колдунья невольно застонала от удовольствия. Никогда еще ее не целовали с таким мастерством.

Халиф давал ей понять, что намерен показать все, что умел до их встречи и чему научился в долгих беседах с нею. В тот самый миг, когда она хотела уже сдаться на милость победителя, он вдруг сменил тактику.

Вместо того чтобы действовать напористее, халиф вдруг осторожно коснулся ее губ самыми кончиками пальцев. От странного острого ощущения она словно взлетела к небесам.

Он обнимал ее одной рукой, сначала лаская плечи, а затем спину, потом грудь. Колдунья, казалось, не замечала, что руки халифа лишили ее сначала узорной накидки, а потом и тонкой рубахи... Махаббат как будто качало на волнах наслаждения, и как только у нее переставала кружиться голова от его поцелуя, его руки напоминали ей о том, что сказка только начинается.

Халиф поднял женщину на руки и уложил на то самое ложе, укрытое шкурами. Горький запах трав кружил голову. Колдунья словно лишилась сил, она лишь отдавалась, наслаждаясь тем, как под любящими руками превращается в прекраснейшую из женщин мира. Нежность халифа пьянила. Неслышно она подсказывала, что надо делать, показывала то рукой, то лишь взглядом, чего хочет теперь. Наконец на ложе сплелись два тела.

Прекрасная колдунья едва слышно молила о продолжении наслаждения, и халиф радостно выполнял эти просьбы.

Даже если бы он хотел, то не смог бы себя сдерживать. Она была слишком прекрасна, слишком горяча, и он слышал ее голос и помнил ее вкус. Он мечтал о том, чтобы быстрее ворваться в это тело, ставшее упоительно прекрасным и желанным.

Прислонившись к ее груди, халиф замер на мгновение, а потом снова начал двигаться, теперь все быстрее и сильнее. Колдунья не сводила с него глаз, и они стали казаться совсем черными от нахлынувшей страсти. Она прикусила зубами нижнюю губу, потому что стон грозил вырваться из ее уст. Она хотела продолжения.

Невероятным усилием воли халифу удалось сдержаться. Он покрылся испариной, а ее руки искали его грудь, потом спустились к узким бедрам и снова метнулись вверх по спине.

Их стоны слились в страстную песню, и вдруг она закричала. Он потерял голову; в нем проснулся самец, который должен утвердить себя в этом мире. Эта женщина, которая билась под ним, принадлежала ему всецело.

Не знаю, наяву или во сне явилось мне это чудо. Крепкий сон, что сомкнул мои веки, не дал ответа на вопрос. Но когда ранним утром я очнулся над своими записями, то вспомнил все, что видел. Вспомнил торжество великого чувства над мелочными различиями возраста и положения в обществе. И дано мне было чудесное прозрение: эликсир любви — не напиток, не камень и не притирание. Подлинный эликсир любви — это единение душ, что помогает увидеть человека в истинном свете, разглядеть бесценную сокровищницу его души, что прекраснее внешней красоты тела.

Это великое открытие потрясло меня, а слезы, что выступили на глазах, были лишь данью благоговению, наполнившему мою душу.

— Да будет милостив вовеки Аллах, что дарует каждому ищущему прозрение, а каждому жаждущему — утоление.

Я произнес эти слова так тихо, как мог, боясь потревожить сон моих спутников. Но услышал в ответ слова, также произнесенные вполголоса:

— Да возрадуется каждый, что найдет так же много, как нашел я.

Это был голос халифа. Но звучал он совершенно иначе. Не было в нем былой отрешенности, уравновешенности повелителя. Это был голос счастливого мужчины, что обрел покой и радость жизни.

— Я вижу, повелитель, что ты счастлив. Родился ли напиток любви, выпил ли ты хоть каплю его?

— Да, Синдбад, эликсир любви родился. Мне довелось отведать первые его капли. Но надеюсь, прекрасная госпожа Махаббат даст мне возможность наслаждаться этим дивным золотым напитком всю оставшуюся жизнь.

Я взглянул на колдунью. Передо мной стояла молодая, полная сил женщина. Стан ее был все так же тонок, руки все так же сильны. Но теперь черные как смоль косы тяжелой короной оплетали ее голову, морщин на лице не осталось вовсе, а нежные щеки покрывал легкий румянец. Я вспомнил свою прекрасную жену Лейлу, что не поддавалась времени. Прекраснолицая и здравомыслящая, сильная и нежная, она сейчас казалась сестрой колдуньи, чье имя означает любовь...

— Боюсь, халиф, нам предстоит расставание. Ты повелитель правоверных, я — колдунья из далекой страны. Как же твои подданные смогут принять такую властительницу?

— Прежде всего ты властительница моего сердца, очи моей души... А потому ты станешь прекраснейшей женой халифа Гарун-аль-Рашида, который в эту ночь полнолуния вновь стал живым и научился видеть весь мир.

— Повинуюсь тебе, мой повелитель.

Да, эликсир любви родился. И они оба испили его, соединившись так, как дано лишь любящим.

Причудливыми путями порой вьется нить человеческой жизни. Аллах велик не только в своем могуществе, он еще великий насмешник, ибо создает душу людскую столь виртуозно, что порой вторая ее половина может найтись только после многолетних поисков.

* * *

Путь наш домой был хоть и долог, но не тяжел. До самого Багдада нас вели знакомые караванные тропы. Наш повелитель был неузнаваем — отзывчивый и мудрый, он стал нам истинным другом. А дивная Махаббат украшала своим присутствием наши беседы, осеняя их мудростью своих замечаний, и кратких и разумных. Удивительно, как может измениться человек, открыв другому душу и получив взамен счастье.

Ликованием встретил нас роскошный Багдад. Распахнулись ворота дворца, и покои радостно приняли халифа, который привел свою супругу. Скажу, что годы, отмеченные правлением Гарун-аль-Рашида и мудрой Махаббат, стали годами расцвета нашего прекрасного города.

Я же с легким чувством выполнившего долг вошел в ворота своего дома. Лучшая из женщин, моя Лейла, прекрасная как Луна, как прежде, встречала меня у дверей дома. Рядом с ней стояли наши дети. И мне осталось лишь вознести хвалу Аллаху всемилостивейшему и милосердному, который дарит нам и тяжелые испытания, и великие прозрения.

* * *

Синдбад умолк. Улыбались гости, нежная улыбка играла на губах прекрасной хозяйки. Оцепенев сидел Синдбад-ученик.

— Вот так закончилось мое седьмое и последнее путешествие, братья. Нам же осталось возблагодарить Аллаха (слава ему вовеки!) и восхвалить.

Когда же гости разошлись, в последний раз дал Синдбад-Мореход Синдбаду-ученику сто мискалей и сказал:

— Сегодня закончилось твое ученичество, Синдбад сухопутный. Теперь ты знаешь, что со мной случилось и как смог я стать тем, кем стал.

Поклонился, уходя, Синдбад-ученик и вышел за ворота. Теперь он знал, что судьба человека в его руках. И, вспомнив свое решение наняться писцом на корабль купцов, чтобы своими глазами увидеть мир, поклялся утром же отправиться в порт.

А что же стало с Синдбадом-Мореходом и его прекрасной и терпеливой женой? Они жили в радости и любви, пока не пришла к ним Разрушительница наслаждений и Разлучительница собраний, которая опустошает дворцы и населяет могилы... Да будет же слава живому, которое не умирает!

Но эта история не так удивительна,
как та, что произошла с принцессой
Будур и принцем Кемалем...

Примечания

1 Здесь и далее стихи в переводе М. Салье.

2 Макама — жанр плутовской новеллы в средневековой литературе Востока.

3 Мискаль — мера веса, примерно 85 г золота.

4 Вид чадры у турчанок.

5 «Во имя Аллаха!» — краткая молитвенная формула у мусульман.

6 Один — верховный бог у скандинавов.

7 Винланд (Vinland — страна винограда) — название, данное норманнами части северо-восточного побережья Северной Америки (по некоторым данным, между 40 и 45° с. ш.), открытой Лейфом Эйриксоном.

8 Горный старец, или шейх аль-джабаль — глава секты хашашинов (от *араб.* «употребляющие гашиш» либо «травоеды»). Хашашины (европеизированная форма ассасины или низариты) — одно из течений в исмаилитской ветви ислама, образованное в 1094 приверженцами Абу Мансура Низара, старшего сына фатимидского халифа аль-Мустансира. Хашашины отличалась строгой дисциплиной, совершили многочисленные религиозно и политически мотивированные убийства. Из хашашинов отбирали юношей, которых превращали в фанатиков-федаев («жертвующих собой во имя веры»), одурманивали их гашишем, позволяя вести роскошную жизнь и внушая, что это видéния рая, куда они попадут после смерти, отдав жизнь за веру.

9 Улугбек, Мухаммед Тарагай (1394—1449) — узбекский астроном и математик, внук Тимура (Тамерлана), известного полководца, создателя крупнейшего в XV в. Среднеазиатского государства. В 15 лет Улугбек был объявлен правителем Самарканда, в 1447 стал правителем всего государства. Он уделял большое внимание развитию образования в стране: построил школы-медресе в Бухаре, Самарканде и других городах, покровительствовал ученым. Привлек в Самарканд выдающихся астрономов своего времени, с их помощью построил обсерваторию (ок. 1430), часть которой сохранилась до наших дней.

10 Пунт — название страны, расположенной в Восточной Африке, по-видимому, на побережье Аденского залива (часть полуострова Сомали).

11 Серапеум — храм египетского бога Сераписа, египто-эллинистического божества, мифологически соответствующего Осирису (другой вариант — священному быку Апису). Серапеум был самым знаменитым храмом в Александрии, в нем при Птолемеях находилась библиотека. Так же называлось и древнее сооружение в Сакаре, где хоронили трупы священных быков.

12 Апис — священный бык, почитавшийся в Древнем Египте как земное воплощение бога Пта. Культ Аписа, восходящий к древнейшим скотоводческим верованиям, впоследствии слился с представлениями о боге мертвых Осирисе. С V в. до н. э. умерших священных быков бальзамировали и погребали в саркофагах на кладбище Серапеум (расположено близ современного Каира). Центром культа Аписа был г. Мемфис.

13 Та-Кемет — по-древнеегипетски «черная земля». Так жители Древнего Египта называли свою страну.

14 Ромеями называли себя жители Византийской (Восточной Римской) империи, которая образовалась после разделения Римской империи в 395 г. на Западную и Восточную. Прекратила свое существование в 1453 г.

15 Искандер Зулькарнайн (Двурогий) — прозвище Александра Македонского в сказаниях мусульманских народов.

16 Уто (Уаджит) — древнеегипетская богиня-кобра, ассоциировавшаяся с цветком папируса. Ее изображение обычно украшало голову фараона.

17 Скала аль-Тарик или Джебель-аль-Тарик была известна древним грекам и римлянам под названием Кальпе. В VIII в. превращена арабами в крепость, которая была названа Джебель-ат-Тарик (гора Тарика) по имени арабского завоевателя Тарика ибн Сеида, построившего укрепления. Позднее это название было искажено, и крепость стала называться Гибралтар. Скала 425 м высотой представляет собой мыс в южной части испанской области Андалузии у пролива Гибралтар, соединяющего Атлантический океан со Средиземным морем.

18 Мера длины, колеблющаяся в различных регионах и в разные эпохи. Обычно соответствует 6 км, но Бухарский фарсах более 9 км. Также считают, что фарсах равен расстоянию, которое проходит лошадь за 1 час, поэтому в зависимости от местности это расстояние составляет 6—7 км.

Літературно-художнє видання

Серія «Арабські ночі»

Шахразада
Пригоди Синдбада-Мореплавця
(російською мовою)

Головний редактор *С. С. Скляр*
Відповідальний за випуск *К. В. Шаповалова*
Редактор *К. В. Новак*
Художній редактор *Т. М. Коровіна*
Технічний редактор *А. Г. Верьовкін*
Коректор *І. Г. Веремій*

Підписано до друку 20.05.2009.
Формат 84x108/32. Друк офсетний.
Гарнітура «Baltica». Ум. друк. арк. 16,8.
Дод. наклад 8000 пр. Зам. № 0904880.

Книжковий Клуб «Клуб Сімейного Дозвілля»
Св. № ДК65 від 26.05.2000
61140, Харків-140, просп. Гагаріна, 20а
E-mail: cop@bookclub.ua

Віддруковано з готових діапозитивів
на Ярославському поліграфічному комбінаті
Росія, 150049, м. Ярославль, вул. Свободи, 97

Литературно-художественное издание

Серия «Арабские ночи»

Шахразада
Похождения Синдбада-Морехода

Главный редактор *С. С. Скляр*
Ответственный за выпуск *Е. В. Шаповалова*
Редактор *Е. В. Новак*
Художественный редактор *Т. Н. Коровина*
Технический редактор *А. Г. Веревкин*
Корректор *И. Г. Веремей*

Подписано в печать 20.05.2009.
Формат 84x108/32. Печать офсетная.
Гарнитура «Baltica». Усл. печ. л. 16,8.
Доп. тираж 8 000 экз. Зак. № 0904880.

ООО «Книжный клуб
"Клуб семейного досуга"»
308025, г. Белгород, ул. Сумская, 168

Отпечатано в полном соответствии с качеством
предоставленного электронного оригинал-макета
в ОАО «Ярославский полиграфкомбинат»
150049, Ярославль, ул. Свободы, 97

Издательство Книжный Клуб «Клуб Семейного Досуга»
www.trade.bookclub.ua

ОПТОВАЯ ТОРГОВЛЯ КНИГАМИ ИЗДАТЕЛЬСТВА

МОСКВА
Бертельсманн Медиа Москау АО
141008, Московская обл., г. Мытищи,
ул. Колпакова, 26, к. 2
тел: (495) 993-01-29, (498) 720-56-34,
(498) 720-56-35
e-mail: *commerce@bmm.ru*
www.bmm.ru

ХАРЬКОВ
ДП с иностранными инвестициями «Книжный Клуб "Клуб Семейного Досуга"»
61140, г. Харьков-140, пр. Гагарина, 20-А
тел/факс +38 (057) 703-44-57
e-mail: *trade@bookclub.ua*
www. trade.bookclub.ua

КИЕВ
ЧП «Букс Медиа Тойс»
04073, г. Киев, ул. Сырецкая, 31, оф. 13
тел. +38 (044) 432-77-96, +38 (067) 572-63-34,
+38 (067) 572-63-35
e-mail: *booksmt@rambler.ru*
www.bookpresent.com.ua

ЛЬВОВ
ООО «Книжкові джерела»
79035, г. Львов, ул. Бузковая, 2
тел. +38 (032) 245-00-25
e-mail: *Knigi@lviv.farlep.net*

ДОНЕЦК
ООО «ИКЦ "Кредо"»
83096, г. Донецк, ул. Куйбышева, 131
тел. +38 (062) 345-63-08, +38 (062) 348-37-92,
+38 (062) 348-37-86
e-mail: *fenix@kredo.net.ua*
www. kredo. net. ua

Книжный Клуб «Клуб Семейного Досуга»

УКРАИНА
служба работы с клиентами:
тел. +38 (057) 783-88-88
e-mail: *support@bookclub.ua*
Интернет-магазин: *www.bookclub.ua*
«Книжный клуб», а/я 84, Харьков, 61001

РОССИЯ
служба работы с клиентами:
тел. +7 (4722) 36-25-25
e-mail: *order@flc-bookclub.ru*
Интернет-магазин: *www.ksdbook.ru*
«Книжный клуб», а/я 4, Белгород, 308037

Шахразада

Ш32 Похождения Синдбада-Морехода [Текст]. — Харьков : Книжный Клуб «Клуб Семейного Досуга» ; Белгород : ООО «Книжный клуб "Клуб семейного досуга"», 2008. — 320 с. : ил. — (Серия «Арабские ночи»).

ISBN 978-966-14-0096-1 (серия).
ISBN 978-966-14-0097-8 (Украина, т. 1) (доп. тир.).
ISBN 978-5-9910-0556-2 (серия).
ISBN 978-5-9910-0557-9 (Россия, т. 1) (доп. тир.).

Амбра и сандал, звон колокольчиков на тонких запястьях гурии, соленый морской бриз, роскошь арабской ночи и ослепительный блеск утра... Душа летит вслед за причудливым повествованием, и вот — широкие ладони океана и корабль белокурых гяуров, ведомый прекрасной Сигрид, пленительной дочерью севера, а вот гигантская птица Рухх взмывает ввысь, закрывая лик Солнца крыльями. Страстная Повелительница гигантов раскрывает свои объятия, подобно Клеопатре меняя жизнь на ласки; пленительная дева-тигрица дарит свою любовь достойнейшему...

Амбра і сандал, музика дзвоників на тонких зап'ястках гурії, солоний морський бриз, розкоші арабської ночі та сліпучий блиск ранку... Душа летить услід за чудернацькою розповіддю, і ось — широкі долоні океану і корабель білявих гяурів, керований прекрасною Сігрід, чарівною дочкою півночі, а ось велетенський птах Рухх злітає у вишину, закриваючи Сонце крилами. Пристрасна Володарка гігантів розкриває свої обійми, подібно до Клеопатри міняючи життя на пестощі; принадна діва-тигриця дарує своє кохання найдостойнішому...

ББК 84.4УКР